L'Anglais

pour mieux voyager en Grande-Bretagne

Guides de voyage

ULYSSE

Le plaisir de mieux voyager

Recherche et rédaction
Claude-Victor Langlois

Éditrice
Jacqueline Grekin

Directeur de collection
Daniel Desjardins

Correcteurs
Pierre Daveluy
Elke Love

Mise en page/ infographie
André Duchesne
Isabelle Lalonde

Photographie
Page couverture
Photodisk

NOS DISTRIBUTEURS

Canada : Guides de voyage Ulysse, 4176, rue St-Denis, Montréal (Québec) H2W 2M5, ☎(514) 843-9882, poste 2232, ☎1-800-748-9171, fax : (514) 843-9448, www.guidesulysse.com, info@ulysse.ca

États-Unis : Distribooks, 8120 N. Ridgeway, Skokie, IL 60076-2911, ☎(847) 676-1596, fax : (847) 676-1195

Belgique : Presses de Belgique, 117, boulevard de l'Europe,1301 Wavre, ☎(010) 42 03 30, fax : (010) 42 03 52

France : Vivendi, 3, allée de la Seine, 94854 Ivry-sur-Seine Cedex, ☎01 49 59 10 10, fax : 01 49 59 10 72

Suisse : Havas Services Suisse, ☎(26) 460 80 60, fax : (26) 460 80 68

Pour tout autre pays, contactez les Guides de voyage Ulysse (Montréal).

Données de catalogage avant publication (Canada) (voir p 6).

Bibliothèque nationale du Québec
Dépôt légal - Deuxième trimestre 2003
ISBN 2-89464-682-8

Remerciements

Les Guides de voyage Ulysse reconnaissent l'aide financière du gouvernement du Canada par l'entremise du Programme d'aide au développement de l'industrie de l'édition (PADIÉ) pour ses activités d'édition.

Les Guides de voyage Ulysse tiennent également à remercier le gouvernement du Québec – Programme de crédit d'impôt pour l'édition de livres – Gestion SODEC.

Catalogage avant publication de la Bibliothèque nationale du Canada

Vedette principale au titre:

L'anglais pour mieux voyager en Grande-Bretagne

(Guide de conversation pour le voyage)

Comprend des index.

Pour les voyageurs francophones.

Textes en français et en anglais

ISBN 2-89464-682-8

1. Anglais (Langue) - Vocabulaires et manuels de conversation français. I. Collection.

PE1131.A67 2003   428.3'441   C2003-940017-4

INTRODUCTION

Il va sans dire que l'anglais, comme toutes les langues, comporte sa part de nuances et de subtilités (sans parler des nombreuses variantes régionales), que vous parviendrez à déceler à force d'écouter attentivement vos interlocuteurs. Comme plusieurs sons n'ont pas d'équivalents exacts en français, nous nous sommes efforcés d'employer un système de transcription phonétique qui permette de les reproduire avec autant de justesse que possible tout en privilégiant la simplicité.

Dans cet esprit, nous avons d'emblée rejeté les méthodes traditionnellement reconnues par les spécialistes (mais ô combien ésotériques pour le commun des mortels), de même que les approches vulgarisées au point de fausser l'esprit de la langue. Au bout du compte, nous avons retenu une formule «naturelle et intuitive» faisant appel à des symboles courants ou facilement reconnaissables. Ceux-ci se juxtaposent de façon souvent inhabituelle, certes, mais pour peu que vous vous appliquiez à les rendre scrupuleusement, vous aurez rapidement la satisfaction de vous exprimer dans la langue de Shakespeare sans la moindre gêne.

Pour ne pas alourdir inutilement votre tâche, nous avons par ailleurs omis de souligner les variations qui modifient légèrement la prononciation de certaines consonnes en anglais par rapport au français (entre autres le *b*, le *l*, le *p* et le *t*). Seule une pratique assidue vous permettra de les relever et de les reproduire en contexte. Cela dit, il vous suffira dans un premier temps de bien noter les indications essentielles qui suivent pour vous en tirer haut la main. N'hésitez surtout pas à y revenir au besoin.

[‘]	Étire légèrement le son de la voyelle ou du groupe de voyelles qui précède.
[a]	Se prononce comme dans «bac».
[â]	Se prononce comme dans «bâtir» (plus sourd et plus grave que le simple *a*).
[au]	Se prononce comme la première syllabe du mot «Australie», en allongeant et en fermant le son.
[ch]	Se prononce toujours comme dans «chat».
[e]	Se prononce toujours comme dans «le».
[g]	Se prononce toujours comme dans «gant».
[H]	Le *h* est le plus souvent sonore en anglais et s'exprime alors par un souffle exhalé distinctement audible que nous avons indiqué par *H*.
[î]	Le son associé à ce caractère est celui d'un *i* bien franc et distinctement marqué.
[í]	Le son associé à ce caractère se rapproche davantage du é que du *i* franc.
[ñg]	Se prononce comme dans «ping-pong».
[ñk]	Se prononce comme dans «drink».
[o]	Se prononce comme dans «tonne».
[ô]	Se prononce comme «eau».
[œ]	Le son associé à ce caractère se rapproche davantage du «œu» de «vœu» que du simple e.
[ou]	Se prononce comme dans «mou».
[øu]	Le son associé à cette combinaison se rapproche davantage du *ô* que du «ou» franc.
[R]	En anglais courant, le *r* n'est ni roulé ni guttural, mais plutôt sourd et voilé. Il n'a pour ainsi dire pas de sonorité propre, comme s'il était précédé d'un *w*.

C'est afin de vous rappeler cette particularité que nous l'avons chaque fois indiqué par un *R*.

[tH et dH] La juste prononciation du *th* constitue une autre difficulté de l'anglais. Elle présente deux formes que nous avons rendues de façon aussi plausible que possible, tantôt par «tH» tantôt par «dH», selon le cas. Tendez bien l'oreille afin de les distinguer et, de grâce, évitez de les rendre par ce *z* ridicule qu'on enseigne dans certaines méthodes.

[w] Se prononce toujours comme dans «wigwam».

[y] Se prononce toujours comme dans «yo-yo».

Outre les combinaisons «âï», «aô», «é», «œ», «ôï», «ou», «øu», «ch», «dH», «ñg», «ñk», «ss» et «tH», qui produisent un son unique comme s'il s'agissait d'une seule lettre, tous les caractères entre crochets doivent être distinctement prononcés.

En guise de rappel, nous avons souligné certaines consonnes pour bien marquer qu'elles doivent être dissociées des voyelles qui les précèdent.

Les syllabes en caractères **gras** portent l'accent tonique. Dans les phrases, nous n'avons toutefois indiqué que les principaux points d'appui, les accents mineurs ayant volontairement été négligés.

Accents et dialectes

La Grande-Bretagne se révèle riche en accents et en dialectes. Même les personnes vivant hors des îles Britanniques dont la langue maternelle est l'anglais sont reconnues pour se creuser la tête à leur grand étonnement quand elles se voient obliger de faire face à une version incompréhensible de la première langue qu'elles ont apprise. Bien sûr, découvrir toute cette richesse fait partie des plaisirs du voyage!

Ne vous offusquez surtout pas si l'on vous adresse la parole en employant des mots tendres comme *love* (mon amour), me *han'some* (mon beau, ma belle), voire *duck* (mon canard, la petite dame, la demoiselle, le petit monsieur) – ce sont tous des termes affectueux dont on fait usage couramment, même avec les étrangers.

Chaque région semble avoir sa propre version de mots tendres et chacune utilise différents termes, tant pour dénommer les objets du quotidien que pour décrire les sensations et les activités.

Si vous cherchez un sandwich dans le nord de l'Angleterre, vous devriez demander un *butty* ou un *sarnie* – si vous vous voulez une tasse de thé pour l'accompagner, ce sera une *cuppa*. Si vous avez besoin d'aller aux toilettes, vous pourrez dire que vous devez *spend a penny*, ce qui vous assure de ne pas confondre cet euphémisme avec l'argot courant pour la livre sterling: *quid*. Si vous faites la conversation avec quelqu'un, que ce soit en anglais ou non, vous avez une *chin-wag*. Vous êtes exténué après avoir essayé de comprendre? Eh bien, vous êtes *knackered*!

Quant aux accents, ils ont traditionnellement été considérés comme le miroir de la classe sociale du locuteur, par exemple le *Queen's English* ou *Received Pronunciation* —l'anglais du Sud britannique— parlé par l'aristocratie et la haute bourgeoisie, ou encore la variété des différents accents populaires localisés des classes laborieuses, en sont des exmples. Bien que la distinction ne soit pas aussi évidente qu'elle l'était jadis, les visiteurs ayant quelques connaissances en linguistique remarqueront assurément les différences pendant qu'ils sillonneront la Grande-Bretagne.

Notez que les termes et les aspects phonétiques que vous retrouverez dans ce guide de conversation seront largement compris à travers toutes les îles Britanniques.

GRAMMAIRE

L'article

Il n'existe, en anglais, qu'un article défini: *the* (le, la, les).

the book (le livre)

the car (la voiture)

the cars (les voitures)

Notez que la prononciation de *the* varie selon qu'il est suivi par une voyelle ou par une consonne.

the car **[dHe kâR]**; *the airport* **[dHî è'RpoRt]**

Il y a par contre deux articles indéfinis: *a* et *an* (un, une);

a s'utilise devant les mots commençant par une consonne;

an s'utilise devant les mots commençant par une voyelle ou un *h* muet.

a star (une étoile)

an elephant (un éléphant)

an hour (une heure)

Notez toutefois qu'on n'emploie pas d'article indéfini devant les mots au pluriel.

books (des livres)

Le genre

En anglais, les noms n'ont pas de genre.

a sister (une sœur) *a brother* (un frère)

the sister (la sœur) *the brother* (le frère)

Cependant, un pronom possessif placé devant un nom fait référence au propriétaire de l'objet désigné, et en prend le genre. Ainsi, bien que, en français, nous disions invariablement «son livre», quel que soit le genre de la personne à qui appartient le livre, il faudra, en anglais, dire *his book* si le livre appartient à un homme, *her book* s'il appartient à une femme et *their book* s'il appartient à plus d'une personne, quel que soit leur genre.

Le pluriel

Pour mettre au pluriel la plupart des noms, il suffit de leur ajouter un *s* ou le suffixe *-es*, l'un comme l'autre devant être prononcés.

elephant - elephants (éléphant - éléphants)

beach - beaches (plage - plages)

Exceptions

Lorsqu'un mot se termine par un *y* précédé d'une consonne, son pluriel s'obtient en remplaçant le *y* par le suffixe *-ies*;

lady - ladies (dame - dames)

cela dit, lorsque le *y* est précédé d'une voyelle, il suffit d'ajouter un *s*.

monkey - monkeys (singe - singes)

Lorsqu'un mot se termine par un *f*, son pluriel s'obtient généralement en remplaçant le *f* par le suffixe *-ves*.

leaf - leaves (feuille - feuilles)

Il existe par ailleurs certains noms irréguliers:

foot - feet (pied - pieds)

mouse - mice (souris - souris)

tooth - teeth (dent - dents)

de même que d'autres dont le singulier et le pluriel sont identiques:

deer (cerf - cerfs)

moose (élan - élans)

L'adjectif

Le ou les adjectifs qualifiant un nom précèdent généralement ce nom, et jamais ils ne se mettent au pluriel.

The pretty green birds (Les jolis oiseaux verts)

La plupart des adjectifs peuvent prendre trois formes, soit la forme positive, la forme comparative et la forme superlative;

la **forme positive** est celle de l'adjectif en soi:
green (vert / verte)

la **forme comparative** s'obtient en ajoutant le suffixe *-er*:
greener (plus vert / verte)

la **forme superlative** s'obtient en ajoutant le suffixe *-est*:
greenest (le / la plus vert / verte)

Toutefois, lorsqu'un adjectif compte trois syllabes ou plus, la forme comparative s'obtient en le faisant précéder du mot *more* (ou *less*) plutôt que par l'ajout du suffixe *-er*:

more expensive (plus coûteux / coûteuse)

less expensive (moins coûteux / coûteuse)

et la forme superlative s'obtient en le faisant précéder du mot *most* (ou *least*) plutôt que par l'ajout du suffixe *-est:*

most expensive (le / la plus coûteux / coûteuse)

least expensive (le / la moins coûteux / coûteuse)

La forme possessive

La forme possessive s'obtient généralement en faisant suivre le complément d'objet de *'s*.

The bird's feathers (les plumes de l'oiseau)

Stephanie's dress (la robe de Stéphanie)

Le pronom

On distingue:

les **pronoms sujets**, qui remplacent ou désignent le nom sujet d'une phrase:

je	*I*
tu	*you*
il, elle	*he* (m), *she* (f), *it** (n)
nous	*we*
vous	*you*

ils, elles *they*

* *It* et *its* sont utilisés quand le référent n'est pas humain.

les **pronoms d'objet** (direct ou indirect):

moi	*me*
toi	*you*
lui, elle	*him* (m), *her* (f), *it** (n)
nous	*us*
vous	*you*
eux, elles	*them*

et les **pronoms possessifs**:

mon, ma, mes	*my*
ton, ta, tes	*your*
son, sa, ses	*his* (m), *her* (f), *its** (n)
notre, nos	*our*
votre, vos	*your*
leur, leurs	*their*

le mien, la mienne, les miens, les miennes:	*mine*
le tien, la tienne, les tiens, les tiennes:	*yours*
le sien, la sienne, les siens, les siennes:	*his* (m), *hers* (f), *its** (n)
le nôtre, la nôtre, les nôtres:	*ours*
le vôtre, la vôtre, les vôtres:	*yours*
le leur, la leur, les leurs:	*theirs*

Le verbe

Les temps des verbes, soit le présent, le passé et le futur, ont chacun une forme simple, composée et progressive (gérondif). Les divers temps et leurs formes dérivent de l'infinitif, et requièrent parfois un auxiliaire.

En anglais, les verbes réguliers présentent trois terminaisons:

-s à la troisième personne du singulier, au présent de l'indicatif

-ed au passé

-ing à la forme progressive

Le **présent** des verbes réguliers reprend la forme infinitive à toutes les personnes sauf à la troisième personne du singulier, où il se voit ajouter un *s*.

I look (je regarde)

you look (tu regardes)

he / she / it looks (il / elle regarde)

we look (nous regardons)

you look (vous regardez)

they look (ils / elles regardent)

Le **passé** (imparfait et passé simple) des verbes réguliers s'obtient en ajoutant le suffixe *-ed* à la forme infinitive, et ce, à toutes les personnes.

I looked (je regardais, je regardai)

you looked (tu regardais, tu regardas)

he / she / it looked (il / elle regardait, il / elle regarda)

we looked (nous regardions, nous regardâmes)

you looked (vous regardiez, vous regardâtes)

they looked (ils / elles regardaient, ils / elles regardèrent)

Le **futur** des verbes réguliers s'obtient en faisant précéder la forme infinitive du mot *will*, et ce, à toutes les personnes.

I will look (je regarderai)

you will look (tu regarderas)

he / she / it will look (il / elle regardera)

we will look (nous regarderons)

you will look (vous regarderez)

they will look (ils / elles regarderont)

Les auxiliaires

Les auxiliaires s'emploient avec les autres verbes pour former des temps plus complexes, tels que le passé composé et la forme progressive. Ils ont chacun une forme contractée (sauf *do*), une forme négative et une forme négative contractée.

	Forme contractée	Forme négative / négative contractée

To be (être)

I am (je suis)	*I'm*	*I am not / I'm not* (je ne suis pas)
you are (tu es, vous êtes)	*you're*	*you are not / you aren't* ou *you're not* (tu n'es pas, vous n'êtes pas)
he / she / it is (il / elle est)	*he's, she's, it's*	*he, she, it is not / he's, she's, it's not* ou *he, she, it isn't* (il / elle n'est pas)
we are (nous sommes)	*we're*	*we are not / we aren't* (nous ne sommes pas)
they are (ils sont)	*they're*	*they are not / they aren't* (ils / elles ne sont pas)

To have (avoir)

I have (j'ai)	*I've*	*I have not / I haven't* (je n'ai pas)
you have (tu as, vous avez)	*you've*	*you have not / you haven't* (tu n'as pas, vous n'avez pas)

he / she / it has (il / elle a)	*he's, she's, it's*	*he, she, it has not / he, she, it hasn't* (il / elle n'a pas)
we have (nous avons)	*we've*	*we have not / we haven't* (nous n'avons pas)
they have (ils ont)	*they've*	*they have not / they haven't* (ils / elles n'ont pas)

To do (faire)

I do (je fais)	*I do not / I don't* (je ne fais pas)
you do (tu fais, vous faites)	*you do not / you don't* (tu ne fais pas, vous ne faites pas)
he / she / it does (il / elle fait)	*he, she, it does not / he, she, it doesn't* (il / elle ne fait pas)
we do (nous faisons)	*we do not / we don't* (nous ne faisons pas)
they do (ils / elles font)	*they do not / they don't* (ils / elles ne font pas)

Notez que le verbe *do*, employé comme auxiliaire dans certaines constructions, ne se traduit pas comme tel en français.

Do you understand? (Comprenez-vous?)

I do understand (Je comprends bien / Bien sûr que je comprends)

I do not understand / I don't understand (Je ne comprends pas)

Les auxiliaires peuvent également être contractés aux autres temps et modes; à titre d'exemple:

I would not eat / I wouldn't eat (Je ne mangerais pas)

I did not eat / I didn't eat (Je n'ai pas mangé)

I could not eat / I couldn't eat (Je ne pourrais pas manger / Je ne pouvais pas manger)

I should not eat / I shouldn't eat (Je ne devrais pas manger)

I cannot eat / I can't eat (Je ne peux pas manger)

I will not eat / I won't eat (Je ne mangerai pas)

Quelques verbes irréguliers

INFINITIF	PASSÉ	PARTICIPE PASSÉ
arise **(survenir)**	*arose*	*arisen*
be **(être)**	*was, were*	*been*
bite **(mordre)**	*bit*	*bitten*
break **(briser)**	*broke*	*broken*
buy **(acheter)**	*bought*	*bought*
choose **(choisir)**	*chose*	*chosen*
come **(venir)**	*came*	*come*
cost **(coûter)**	*cost*	*cost*
dive **(plonger)**	*dived, dove*	*dived*
do **(faire)**	*did*	*done*
drink **(boire)**	*drank*	*drunk*

drive **(conduire)**	*drove*	*driven*
eat **(manger)**	*ate*	*eaten*
find **(trouver)**	*found*	*found*
fly **(voler)**	*flew*	*flown*
get **(obtenir)**	*got*	*got*
give **(donner)**	*gave*	*given*
go **(aller)**	*went*	*gone*
have **(avoir)**	*had*	*had*
know **(savoir)**	*knew*	*known*
make **(fabriquer)**	*made*	*made*
read **(lire)**	*read* (prononcé *rèd*)	*read (rèd)*
un **(courir)**	*ran*	*run*
say **(dire)**	*said*	*said*
see **(voir)**	*saw*	*seen*
swim **(nager)**	*swam*	*swum*
write **(écrire)**	*wrote*	*written*

Formes verbales plus complexes

La forme progressive et les temps composés expriment des relations temporelles plus complexes.

La **forme progressive** (formée du verbe «être» – *to be* – et du participe présent) exprime une action ponctuelle ayant cours à un moment précis.

Présent progressif

I am looking (je suis en train de regarder)

he / she / it is looking (il / elle est en train de regarder)

you, we, they are looking (tu es, nous sommes, vous êtes, ils / elles sont en train de regarder)

Passé progressif

I, he / she / it was looking (j'étais, il / elle était en train de regarder)

You, we, they were looking (tu étais, nous étions, vous étiez, ils / elles étaient en train de regarder)

Futur progressif

I, you, he / she / it, we, they will be looking (je serai, tu seras, il / elle sera, nous serons, vous serez, ils / elles seront en train de regarder)

Une erreur commune consiste à confondre le présent de l'indicatif et le présent progressif, le premier indiquant une action constante, habituelle, tandis que le second indique une action ponctuelle dans le temps.

I eat seafood (Je mange – habituellement, normalement – des fruits de mer)

I am eating seafood (Je mange – en ce moment précis – des fruits de mer)

Les **temps composés** (formés du verbe «avoir» – *to have* – et du participe passé), plus complexes, expriment une action qui a été ou sera achevée à un moment déterminé ou convenu.

Passé composé

I, you, we, they have looked (j'ai, tu as, nous avons, vous avez, ils / elles ont regardé)

he / she / it has looked (il / elle a regardé)

Plus-que-parfait

I, you, he / she / it, we, they had looked (j'avais, tu avais, il / elle avait, nous avions, vous aviez, ils / elles avaient regardé)

Futur antérieur

I, you, he / she / it, we, they will have looked (j'aurai, tu auras, il / elle aura, nous aurons, vous aurez, ils / elles auront regardé)

La forme négative

La forme négative s'obtient généralement en insérant un auxiliaire (*be, have, do*) et le mot *not* (non, pas) après le sujet mais avant le verbe principal.

I eat seafood (je mange des fruits de mer)

I do not eat seafood (je ne mange pas de fruits de mer)

Lorsque la phrase renferme déjà un auxiliaire, il suffit cependant d'ajouter *not*.

I am eating seafood (je suis en train de manger des fruits de mer)

I am not eating seafood (je ne suis pas en train de manger des fruits de mer)

La forme interrogative

La forme interrogative s'obtient en déplaçant l'auxiliaire devant le nom ou le pronom sujet. Si le temps du verbe n'est pas dans une forme composée, il faut premièrement transformer la phrase:

He likes ice cream. > *He does like ice cream.* > *Does he like ice cream?*

Le verbe «être» (*to be*) fait exception quand il est utilisé comme verbe principal, ce qui demande une simple inversion du verbe et du sujet, comme en français:

Il est gentil. Est-il gentil?

He is nice. Is he nice?

MOTS ET EXPRESSIONS USUELS – *FREQUENTLY USED WORDS AND EXPRESSIONS*

Oui	*Yes*	[yèss]
Non	*No*	[nô]
Peut-être	*Maybe*	[**mé**'bî]
Excusez-moi	*Excuse me*	[èx**kyouz** mî]
Bonjour	*Hello*	[Hè**lô**]
Bonsoir	*Good evening*	[gøud **î**'vníñg]
Bonne nuit	*Good night*	[gøud **nâït**]
Salut	*Hi*	[Hâï]
Au revoir	*Goodbye*	[gøud**bâï**]
Merci	*Thank you / cheers / ta*	[**tHañk** you / tchîrz / tâ]
Merci beaucoup	*Thank you very much*	[tHañk you **vè**Rî motch]
S'il vous plaît	*Please*	[plî'z]
Je vous en prie (il n'y a pas de quoi, de rien)	*You're welcome*	[yøuR **wèl**kom]
ici	*here*	[Hî'R]
là	*there*	[dHèR]
à gauche	*left*	[lèft]
à droite	*right*	[Râït]
tout droit	*straight on*	[**stRé**t o<u>n</u>]
avec	*with*	[wídH]
sans	*without*	[wí**dH**aô<u>t</u>]
beaucoup	*a lot*	[e **lo**<u>t</u>]
peu	*a little*	[e **lí**tœl]

Grammaire

souvent	*often*	[**â'**fœn]
de temps à autre	*sometimes*	[**som**tâïmz]
quand	*when*	[wèn]
très	*very*	[vèRí]
aussi	*also*	[**âl**sô]
dessus (sur, au-dessus de)	*above (on, over)*	[e**bov** (on, **ô**vœR)]
dessous (sous, en-dessous de)	*below (under, beneath)*	[bí**lô** (**on**dœR, bí**nî'**tH)]
en haut	*above*	[e**bov**]
en bas	*below*	[bí**lô**]

Comment allez-vous?
How are you?
[Haô **âR** you?]

Très bien, et vous?
Fine, and you?
[**fâïn**, and **you**?]

Très bien, merci.
Fine, thank you.
[fâïn, **tHañk** you]

Où se trouve...?
Where is the...?
[wèR íz dHe...?]

Où se trouve l'hôtel...?
Where is the hotel... / the... hotel?
[wèR íz dHe Hôtèl... / dHe... Hôtèl?]

Est-ce loin d'ici?
Is it far from here?
[íz ít **fâR** fRom Hî'R?]

Est-ce près d'ici?
Is it close to here?
[íz ít **klôss** tou Hî'R?]

Excusez-moi, je ne comprends pas.
Excuse me, I do not understand.
[èx**kyouz** mî, âï dou no<u>t</u> o<u>n</u>dœRsta<u>n</u>d]

Pouvez-vous parler plus lentement, s'il vous plaît?
Could you speak more slowly, please?
[køud you spî'k môR **slô**'lî, plî'z?]

Pouvez-vous répéter, s'il vous plaît?
Could you repeat that, please?
[køud you Rœ**pî**'t dHat, plî'z?]

Parlez-vous français?
Do you speak French?
[dou you spî'k **fRè<u>n</u>**ch?]

Je ne parle pas l'anglais.
I do not speak English.
[âï dou no<u>t</u> spî'k **íñg**lích]

Je ne parle pas l'espagnol.
I do not speak Spanish.
[âï dou no<u>t</u> spî'k **spa**'ních]

Y a-t-il quelqu'un ici qui parle français?
Is there someone here who speaks French?
[íz dHèR somwon Hî'R Hou spî'kss **fRèn**ch?]

Y a-t-il quelqu'un ici qui parle anglais?
Is there someone here who speaks English?
[íz dHèR somwon Hî'R Hou spî'kss **íñ**glích?]

Est-ce que vous pouvez me l'écrire?
Could you write that out for me?
[køud you Râït dHat **aôt** fôR mî?]

Qu'est-ce que cela veut dire?
What does that mean?
[wât doz dHat **mî**'n?]

Que veut dire le mot...?
What does the word... mean?
[wât doz dHe wœRd ... mî'n?]

Je comprends.
I understand.
[âï ondœR**stand**]

Je ne comprends pas.
I do not understand.
[âï dou not ondœR**stand**]

Vous comprenez?
Do you understand?
[dou you ondœR**stand**?]

En français, on dit...
In French, we say...
[ín **fRèn**ch, wî sé'...]

En anglais, on dit...
In English, we say…
[ín **íñ**glích, wî sé'…]

Pouvez-vous me l'indiquer dans le livre?
Could you show me in this book?
[køud you **chô**' mî ín dHíss bøuk?]

Est-ce qu'il y a...?
Is there a…?
[íz dHèR e…I?]

Puis-je avoir...?
Could I have…?
[køud âï Hav…?]

Je voudrais avoir...
I would like to have…
[âï wøud lâïk tou Hav…]

Je ne sais pas.
I do not know.
[âï dou no<u>t</u> nô]

QUELQUES CHIFFRES

LES NOMBRES – *NUMBERS*

un	*one*	[won]
deux	*two*	[tou]
trois	*three*	[tHRî]
quatre	*four*	[fôR]
cinq	*five*	[fâïv]
six	*six*	[síkss]
sept	*seven*	[**sè**vœn]
huit	*eight*	[ét]
neuf	*nine*	[nâïn]
dix	*ten*	[tèn]
onze	*eleven*	[í**lè**vœn]
douze	*twelve*	[twèlv]
treize	*thirteen*	[**tHœR**tî'n]
quatorze	*fourteen*	[**fôR**tî'n]
quinze	*fifteen*	[**fíf**tî'n]
seize	*sixteen*	[**síks**tî'n]
dix-sept	*seventeen*	[**sè**vœntî'n]
dix-huit	*eighteen*	[**é**tî'n]
dix-neuf	*nineteen*	[**nâïn**tî'n]
vingt	*twenty*	[**twèn**tî]
vingt et un	*twenty-one*	[**twèn**tî won]
vingt-deux	*twenty-two*	[**twèn**tî tou]
trente	*thirty*	[**tHœR**tî]

quarante *forty* [fôRtî]
cinquante *fifty* [fiftî]
soixante *sixty* [síkstî]
soixante-dix *seventy* [sèvœntî]
quatre-vingt *eighty* [étî]
quatre-vingt-dix *ninety* [nâïntî]
cent *one hundred* [won Hondrœd]
deux cents *two hundred* [tou Hondrœd]
cinq cents *five hundred* [fâïv Hondrœd]
mille *one thousand* [won tHaôzœnd]
dix mille *ten thousand* [tèn tHaôzœnd]
un million *one million* [won mílyœn]
deux cent cinquante-deux *two hundred fifty-two* [tou Hondrœd fíftî-tou]

L'HEURE ET LE TEMPS – *TIME*

Quand? *When?* [wèn]
tout de suite *right away* [Râït ewé']
maintenant *now* [naô]
ensuite *next* [nèkst]
plus tard *later* [létœR]
souvent *often* [o'fœn]
de temps à autre *sometimes* [somtâïmz]

lundi *Monday* [mondé']
mardi *Tuesday* [tyouzdé']

mercredi	*Wednesday*	[**wènz**dé’]
jeudi	*Thursday*	[**tHœRz**dé’]
vendredi	*Friday*	[**fRâï**dé’]
samedi	*Saturday*	[**sa**tœRdé’]
dimanche	*Sunday*	[**son**dé’]
jour	*day*	[dé’]
nuit	*night*	[nâït]
matin	*morning*	[**môR**níñg]
après-midi	*afternoon*	[**af**tœRnoun]
soir	*evening*	[**î**’vníñg]
aujourd’hui	*today*	[tou**d**é’]
ce matin	*this morning*	[dHíss **môR**níñg]
cet après-midi	*this afternoon*	[dHíss **af**tœRnoun]
ce soir	*this evening*	[dHíss **î**’vníñg]
demain	*tomorrow*	[tou**mo**Rô]
demain matin	*tomorrow morning*	[tou**mo**Rô môRníñg]
demain après-midi	*tomorrow afternoon*	[tou**mo**Rô aftœRnoun]
demain soir	*tomorrow night*	[tou**mo**Rô nâït]
après-demain	*the day after tomorrow*	[dHe dé’ aftœR tou**mo**Rô]
hier	*yesterday*	[**yès**tœRdé’]
avant-hier	*the day before yesterday*	[dHe dé’ bífôR **yès**tœRdé’]
semaine	*week*	[wî’k]
la semaine prochaine	*next week*	[**nèkst** wî’k]
la semaine dernière	*last week*	[**la**’st wî’k]
lundi prochain	*next Monday*	[**nèkst** mondé’]

janvier	*January*	[**dja**nyouèRí]
février	*February*	[**fè**bouèRí]
mars	*March*	[mâRtch]
avril	*April*	[épRœl]
mai	*May*	[mé']
juin	*June*	[djoun]
juillet	*July*	[djou**lâï**]
août	*August*	[**au**gœst]
septembre	*September*	[sèp**tèm**bœR]
octobre	*October*	[oc**tô**bœR]
novembre	*November*	[nô**vèm**bœR]
décembre	*December*	[dí**ssèm**bœR]
le 1er juin	*June 1st*	[djoun **fœRst**]
le 10 juin	*June 10th*	[djoun **tèn**tH]
le 17 juin	*June 17th*	[djoun **sè**vœntî'ntH]
le 31 juillet	*July 31st*	[djoun **tHœR**tí fœRst]
mois	*month*	[montH]
le mois prochain	*next month*	[**nèkst** montH]
le mois dernier	*last month*	[**la**'st montH]
année	*year*	[yî'R]
l'année prochaine (l'an prochain)	*next year*	[**nèkst** yî'R]
l'année passée (l'an dernier)	*last year*	[**la**'st yî'R]

Quelle heure est-il?
What time is it?
[wât **tâïm** íz ít?]

Il est une heure
It is one o'clock
[ít íz **won** o klo'k]

deux heures
two o'clock
[**tou** o klo'k]

trois heures et demie
three thirty / half past three
[**tHRî** tHœRtî / **Haf** past tHRî]

quatre heures et quart
four fifteen / a quarter past four
[**fôR** fíftî'n / e **kwâR**tœR past fôR]

cinq heures moins quart
four forty-five / a quarter to five
[**fôR** fôRtí fâïv / e **kwâR**tœR tou fâïv]

six heures cinq
five after six
[**fâïv** aftœR síkss]

sept heures moins dix
ten to seven
[**tèn** tou sèvœn]

Dans un quart d'heure
In fifteen minutes / in a quarter of an hour
[ín **fíf**tî'n mínítss / ín e **kwâR**tœR ov an aôwœR]

Dans une demi-heure
In thirty minutes / in a half an hour
[ín **tHœRtí** minítss / ín e **Haf** a_n aôwœR]

Dans une heure
In an hour
[ín a_n **aôwœR**]

Dans un instant
In a minute
[ín e **mínít_**]

Un instant, s'il vous plaît.
One moment please.
[won **mômœ**n_t, plî'z]

Je reviendrai dans une heure.
I will come back in an hour.
[âï wíl kom ba'k ín a_n **aôwœR**]

À partir de quelle heure peut-on prendre le petit déjeuner?
When can we have breakfast?
[wèn kan wî Hav **bRèk**fœst?]

Et jusqu'à quelle heure?
Until what time?
[ontíl wât **tâïm**?]

À quelle heure la chambre sera-t-elle prête?
When will the room be ready?
[wèn wíl dHe Rou'm bî **Rè**dí?]

À quelle heure doit-on quitter la chambre?
When do we have to leave the room?
[wèn dou wî Hav tou lî'v dHe **Rou**'m?]

Quel est le décalage horaire entre... et...?
What is the time difference between… and…?
[wât íz dHe **tâïm** dífRœnss bítwî'n… and…]

PAYS ET NATIONALITÉS – *COUNTRIES AND NATIONALITIES*

Afrique du Sud	*South Africa*	[saôtH afríke]
Allemagne	*Germany*	[**djeR**manî]
Angleterre	*England*	[**íng**lœnd]
Australie	*Australia*	[âs**tRé**lyâ]
Autriche	*Austria*	[**âs**tRíâ]
Belgique	*Belgium*	[**bèl**djœm]
Canada	*Canada*	[**ka**nœdâ]
Chine	*China*	[tchâïna]
Écosse	*Scotland*	[skotlœnd]
Espagne	*Spain*	[spén]
États-Unis	*United States*	[you**nâï**tœd stétss]
France	*France*	[**fRa**'nss]
Grande-Bretagne	*Great Britain*	[**gRét** bRíten]
Inde	*India*	[índîe]
Irak	*Iraq*	[írak]
Iran	*Iran*	[íran]
Irlande	*Ireland*	[âïRlœnd]
Irlande du Nord	*Northern Ireland*	[nôRdHœrn âïRlœnd]
Italie	*Italy*	[ítœlî]
Japon	*Japan*	[djœ**pan**]
Luxembourg	*Luxembourg*	[loksœmbœRg]

Nigeria	*Nigeria*	[nâïdjîRîe]
Nouvelle-Zélande	*New Zealand*	[nou **zî**'lend]
Pakistan	*Pakistan*	[pakístan]
Pays-Bas	*Netherlands*	[**nè**dHeRlendz]
Pays de Galles	*Wales*	[wélz]
Portugal	*Portugal*	[pautyœgœl]
Québec	*Quebec*	[kwí**bèk**]
Suisse	*Switzerland*	[**swít**sœRlœnd]
Turquie	*Turkey*	[TœRkî]
Zimbabwe	*Zimbabwe*	[zímbobwé]
Je suis...	*I am...*	[âï am]
Allemand(e)	*German*	[**djœR**men]
Américain(e)	*American*	[e**mè**Ríkœn]
Anglais(e)	*English*	[íñglích]
Australien(ne)	*Australian*	[âs**tRé**'lyœn]
Autrichien(ne)	*Austrian*	[**â**'stRîen]
Belge	*Belgian*	[**bèl**djœn]
Britannique	*British*	[**bRí**tích]
Canadien(ne)	*Canadian*	[kœ**né**dîœn]
Chinois(e)	*Chinese*	[tchâïnîz]
Écossais(e)	*Scottish*	[skotích]
Espagnol(e)	*Spanish*	[**spa**'ních]
Français(e)	*French*	[fRèntch]
Gallois(e)	*Welsh*	[wèlch]
Indien(ne)	*Indian*	[**ín**dîœn]
Irakien(ne)	*Iraqi*	[îRakî]

Iranien(ne) *Iranian* [íRénîœn]

Irlandais(e) *Irish* [âï'Ních]

Italien(ne) *Italian* [í**ta**'lyœn]

Japonais(e) *Japanese* [djapanîz]

Néerlandais(e) *Dutch* [dotch]

Néo-Zélandais(e) *New Zealander* [nou **zî**'lendœR]

Nigérian(e) *Nigerian* [nâïdjîRîœn]

Pakistanais(e) *Pakistani* [pakísta**n**î]

Portugais(e) *Portuguese* [pautyœgîz]

Québécois(e) *Quebecois* [kèbè**kwâ**]

Sud-Africain(e) *South African* [saôtH afríkœn]

Suisse *Swiss* [**sw**íss]

Turc(Turque) *Turkish* [tœRkích]

Zimbabwéen(ne) *Zimbabwean* [zímbobwén]

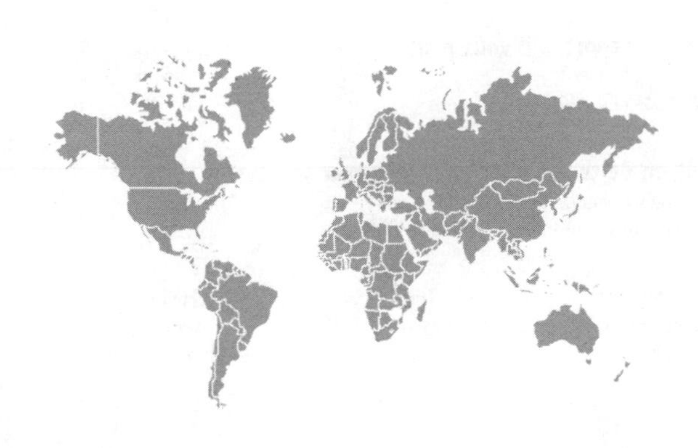

FORMALITÉS D'ENTRÉE – *ENTRANCE FORMALITIES*

passeport	*passport*	[**pass**pôRt]
visa	*visa*	[**vî**za]
carte de tourisme	*tourist card*	[**tøu**Ríst kâRd]
immigration	*immigration*	[ímí**gRé**chœn]
douane	*customs*	[**kos**tœmz]
bagages	*luggage*	[**lo**gœdj]
valise	*suitcase*	[**sou**'tkéss]
sac	*bag*	[ba'g]
l'ambassade	*the embassy*	[dHî **èm**bœssí]
le consulat	*the consulate*	[dHe **con**soulœt]
citoyen	*citizen*	[**sí**tízœn]

Votre passeport, s'il vous plaît.
Your passport, please.
[yøuR **pass**pôRt, plî'z]

Combien de temps allez-vous séjourner au pays?
How long will you be staying in the country?
[Haô loñg wíl you bî sté'iñg ín dHe **con**tRî'?]

Trois jours	*Three days*	[**tHRî** dé'z]
Une semaine	*One week*	[**won** wî'k]
Un mois	*One month*	[**won** montH]

Avez-vous un billet de retour?
Do you have a return ticket?
[dou you Hav e Rít**œR**n tíkít?]

Quelle sera votre adresse au pays?
What is your address while in the country?
[wât íz yøuR ad**Rè**ss wâïl ín dHe **con**tRï'?]

Voyagez-vous avec des enfants?
Are you travelling with children?
[âR you **tRa**'vœlíñg wítH **tchíl**drœn?]

Voici le consentement de sa mère (de son père).
Here is the mother's (father's) permission.
[Hï'R íz dHe modHœRz (fâ'dHœRz) pœR**mí**chœn]

Je ne suis qu'en transit.
I am in transit.
[âï am ín **tRa**nzít]

Je suis en voyage d'affaires.
I am on a business trip.
[âï am on e **bíz**níss tríp]

Je suis en voyage touristique.
I am just visiting.
[âï am djost **ví**zítíñg]

?

Pouvez-vous ouvrir votre sac, s'il vous plaît?
Could you open your bag, please?
[køud you ôpœn yøuR **ba**'g, plî'z?]

Je n'ai rien à déclarer.
I have nothing to declare.
[âï Hav **no**tHiñg tou díklè'R]

L'AÉROPORT – *THE AIRPORT*

avion	*aeroplane*	[**è'R**eplén]
bateau	*boat*	[bô't]
train	*train*	[tRén]
autobus	*bus*	[boss]
taxi	*taxi / cab*	[**ta**'ksi / kab]
voiture	*car*	[kâR]
voiture de location	*hire car*	[**Hâ**ïr kâR]

J'ai perdu une valise.
I have lost a case.
[âï Hav lo'st e késs]

J'ai perdu mes bagages.
I have lost my luggage.
[âï Hav lo'st mâï **lo**gœdj]

Je suis arrivé sur le vol n^{o}... de...
I arrived on flight number… from…
[âï e**Râ**ïvd on flâït nombœR… fRom…]

Je n'ai pas encore eu mes bagages.
I have not got my luggage yet.
[âï Hav not got mâï **lo**gœdj yèt]

Y a-t-il un bus qui se rend au centre-ville?
Is there a bus to the town centre / city centre?
[íz dHèR e **boss** tou dHe **taôn sènt**œR / sítî sèntœR?]

Où le prend-on?
Where do I catch it?
[wèR dou âï **ka**'tch ít?]

Quel est le prix du billet?
What is the price for a ticket?
[wât íz dHe prâïss fôR e **tí**kít?]

Est-ce que ce bus va à...?
Does this bus go to...?
[doz **dHíss** boss gô tou...?]

Combien de temps faut-il pour se rendre...
How long does it take to get...
[Haô loñg doz ít **ték** tou gèt...]

à l'aéroport?
to the airport?
[tou dHî **è'R**pôRt?]

au centre-ville?
to the city centre?
[tou dHe sítî **sèn**tœR?]

En bus?
By bus?
[bâï **boss**?]

En taxi?
In a taxi?
[ín e **ta**'ksî?]

En voiture?
In a car?
[ín e **kâR**?]

Combien faut-il payer?
How much should I pay?
[Haô motch chøud âï **pé**'?]

Où prend-on le taxi?
Where do I get a taxi?
[wèR dou âï gèt e **ta**'ksî?]

Combien coûte le trajet pour...?
How much is the trip to...?
[Haô motch íz dHe **tríp** tou...?]

Où peut-on louer une voiture?
Where can I hire a car?
[wèR kan âï hâïr e **kâR**?]

Office de tourisme
Tourist office / bureau
[tøuRíst **o**'físs / **byou**Rô]

Renseignements touristiques
Tourist information
[tøuRíst ínfœR**mé**chœn]

Est-ce qu'on peut réserver une chambre d'hôtel de l'aéroport?
Is it possible to reserve a hotel room from the airport?
[íz ít **po**'ssíbœl tou RízœRv e **Hô**tèl Rou'm fRom dHî è'RpôRt?]

Y a-t-il un hôtel à l'aéroport?
Is there a hotel at the airport?
[íz dHèR e **Hô**tèl at dHî è'RpoRt?]

Où peut-on changer de l'argent?
Where can I change money?
[wèR kan âï tchéndj **mo**ní?]

Où sont les bureaux de...?
Where are the... offices?
[wèR âR dHe... **o'**físsœz?]

LES TRANSPORTS – *TRANSPORTATION*

Les transports en commun – *Public Transportation*

bus	*bus*	[boss]
car	*coach*	[kôtch]
métro	*underground / tube*	[**ond**œrgRaônd / tyoub]
train	*train*	[tRén]
billet	*ticket*	[**tí**kít]
aller-retour	*return ticket*	[Rí**tœRn** tíkít]
air conditionné	*air conditioned*	[**è'R** kondíchœnd]
vidéo	*video*	[**ví**dîô]
place numérotée	*numbered seats*	[**nom**bœRd sî'tss]
siège réservé	*reserved seats*	[Rí**zœ**Rvd sî'tss]
wagon-restaurant	*restaurant car*	[**Rès**tœRânt kâR]
gare	*railway station*	[**Rél**wé stéchœn]
terminal routier	*bus station*	[**boss** stéchœn]
quai	*platform*	[**plat**fôRm]

?

Où peut-on acheter des billets?
Where can I buy tickets?
[wèR kan âï bâï **tí**kítss?]

Quel est le tarif pour...?
How much is it for...?
[Haô motch **íz** ít fôR...?]

Quel est l'horaire pour...?
What is the timetable for...?
[wât íz dHe **tâ**ïmtêbœl fôR...?]

Y a-t-il un tarif pour enfant?
Is there a fare for children?
[íz dHèR e fè'R fôR **tchíl**drœn?]

À quelle heure part le train pour...?
What time does the train leave for...?
[wât tâïm doz dHe **tRén** lî'v fôR...?]

À quelle heure arrive le bus de...?
What time does the bus arrive from...?
[wât tâïm doz dHe **boss** eRâïv fRom...?]

Est-ce que le café est servi à bord?
Is coffee served on board?
[íz **ko**'fî sœRvd on bô'Rd?]

Un repas léger est-il servi à bord?
Is a snack served on board?
[íz e **sna**'k sœRvd on bô'Rd?]

Le repas est-il compris dans le prix du billet?
Is a meal included in the price of the ticket?
[íz e mî'l ín**klou**'dœd ín dHe prâïss ov dHe **tí**kít?]

De quel quai part le train pour...?
Which platform for the... train?
[**wítch** platfôRm fôr dHe ... trén?]

Où met-on les bagages?
Where do I put my luggage?
[wèR dou âï pøut mâï **log**œdj?]

Excusez-moi, vous occupez ma place.
Excuse me, you are in my seat.
[èx**kyouz** mî, you âR ín mâï **sî**'t]

À quelle gare sommes-nous?
Which railway station are we at?
[wítch **Rél**wé stéchœn âR wî at?]

Est-ce que le train s'arrête à...?
Does this train stop at...?
[doz **dHíss** tRén stop at...?]

Le métro – *The Underground*

Quelle est la station la plus proche?
What is the closest station?
[wât íz dHe **klô**ssœst stéchœn?]

Combien coûte un trajet?
How much is a ticket?
[Haô motch íz e **tí**kít?]

Y a-t-il des carnets de billets?
Is there a booklet of tickets?
[íz dHèR a **bøuk**lœt ov tíkítss?]

Y a-t-il des cartes pour la journée? pour la semaine?
Are there day passes? weekly passes?
[âR dHèR **dé**' pa'ssœz? **wî**'klí pa'ssœz?]

Quelle direction faut-il prendre pour aller à...?
Which direction should I take to get to...?
[wítch dí**Rèk**chœn chøud âï **ték** tou gèt tou...?]

Est-ce qu'il faut prendre une correspondance?
Do I have to transfer?
[dou âï Hav tou **tRan**sfœR?]

Avez-vous un plan du métro?
Do you have a map of the underground / tube?
[dou you Hav e map ov dHe **on**dœRgRaônd / tyoub?]

À quelle heure est le premier métro?
When is the first train?
[wèn íz dHe **fœR**st tRén?]

À quelle heure est le dernier métro?
When is the last train?
[wèn íz dHe **la**'st tRén?]

La conduite automobile – *Driving*

ici	*here*	[Hî'R]
là	*there*	[dHèR]
avancer	*go ahead / keep going*	[gô e**Hèd** / kî'p **gô**íñg]
reculer	*back up*	[**ba**'k op]
tout droit	*straight on*	[**stRét** on]
à gauche	*left*	[lèft]
à droite	*right*	[Râït]

feux de circulation	*traffic lights*	[**tRa**'fík lâïtss]
feu rouge	*red light*	[**Rèd** lâït]
feu vert	*green light*	[**gRî**'n lâït]
feu orangé	*amber light*	[**amb**œR lâït]
aux feux de circulation	*at the traffic lights*	[at dHe **tRa**'fík lâïtss]
carrefour	*crossroads*	[**kross**Rôdz]
carrefour giratoire	*roundabout*	[**Raônd**abaôt]
sens unique	*one way / no entry*	[**wân** wé' / nô èntRî]
sens interdit	*wrong way*	[**Roñg** wé']
stationnement	*car park*	[kâR pâRk]
faites trois kilomètres	*go / drive three kilometres*	[gô / dRâïv **tHRî** kílo'mítœRz]
la deuxième à droite	*the second on the right*	[dHe **sè**kœn̲d on̲ dHe Râït]
la première à gauche	*the first on the left*	[dHe **fœR**st on̲ dHe lèft]
autoroute	*motorway*	[**mô**'tœRwâï]
l'autoroute à péage	*toll road*	[**tô**'l Rô'd]
route non revêtue	*unmetalled road*	[on**mèt**œld Rô'd]
rue piétonne	*pedestrian street*	[pí**dès**tRîœn̲ stRî't]

La location d'une voiture – *Car Hire*

Je voudrais louer une voiture.
I would like to hire a car.
[âï wøud lâïk tou Hâïr e **kâR**]

En avez-vous à transmission automatique?
Do you have an automatic (transmission)?
[dou you Hav an autema'tík (tRanzmíchœn)?]

En avez-vous à embrayage manuel?
Do you have a manual (transmission)?
[dou you Hav e manyouœl (tRanzmíchœn)?]

Quel est le tarif pour une journée?
How much is it for one day?
[Haô motch íz ít fôR won dé'?]

Quel est le tarif pour une semaine?
How much is it for one week?
[Haô motch íz ít fôR won wî'k?]

Est-ce que le kilométrage est illimité?
Is mileage unlimited?
[íz mâïlœdj onlímítœd?]

Combien coûte l'assurance?
How much is the insurance?
[Haô motch íz dHî ínchøuRœnss?]

Y a-t-il une franchise collision?
Is there a deductible for collisions?
[íz dHèR e dîdektíbœl fôR kolíjœnz?]

J'ai une réservation.
I have a reservation.
[âï Hav e RèzœRvéchœn]

J'ai un tarif confirmé par le siège social.
I have a confirmed rate from the head office.
[âï Hav e konfœRmd rét fRom dHe Hèd o'físs]

La mécanique – *Mechanics*

antenne *antenna* [antèna]

antigel *antifreeze* [antî**fRî**'z]

avertisseur *horn* [HôRn]

boîte à gants *glove compartment* [glov kom**pâR**tmœnt]

capot *bonnet* [bonít]

cassette *cassette* [kœ**ssèt**]

chauffage *heater* [**Hî**'tœR]

clé *key* [kî']

clignotant *turn signal* [**tœRn** sígnœl]

climatisation *air conditioning* [è'R kon**dí**chœníñg]

coffre *boot* [bout]

dégivreur *demister* [dî**mí'**stœR]

démarreur *ignition* [íg**ní**chœn]

diesel *diesel* [**dî**'zœl]

eau *water* [**wau**tœR]

embrayage *clutch* [klotch]

essence *petrol* [**pèt**rœl]

essence sans plomb *unleaded petrol* [on**lè**dœd pètrœl]

essuie-glace *windscreen wiper* [**wínd**scrîn wâïpœR]

feux de détresse *hazard lights* [**Ha**zœRd lâïts]

filtre à huile *oil filter* [**ôïl** fíltœR]

frein à main *hand brake* [**Han**d bRék]

freins *brakes* [bRékss]

fusibles *fuses* [**fyou**zœz]

glaces électriques *electric windows* [èlèktRík windôz]

huile	*oil*	[ôïl]
levier de changement de vitesse	*gear shift*	[**gî**'R chíft]
pare-brise	*windscreen*	[**wínd**scrîn]
pare-chocs	*bumper*	[**bom**pœR]
pédale	*pedal*	[**pè**dœl]
phare	*headlight*	[**Hèd**lâït]
pneu	*tyre*	[**tâï**œR]
portière avant (arrière)	*front (rear) door*	[**fRont** (**Rî**'R) dauR]
radiateur	*radiator*	[**Ré**dîé'tœR]
radio	*radio*	[**Ré**dîô]
rétroviseur	*rear-view mirror*	[**Rî**'Rvyou míRœR]
serrure	*lock*	[lo'k]
siège	*seat*	[sî't]
témoin lumineux	*warning light*	[**wo**'Rníñg lâït]
toit ouvrant	*sunroof*	[**son**Rou'f]
ventilateur	*fan*	[fa'n]
volant	*steering wheel*	[**stî**'Ríñg wî'l]

◆ ◆ ◆

air conditioning	**climatisation**	[è'R kon**dí**chœníñg]
antenna	**antenne**	[antèna]
antifreeze	**antigel**	[antî**fRî**'z]
boot	**coffre**	[bout]
brakes	**freins**	[bRékss]
bumper	**pare-chocs**	[**bom**pœR]
cassette	**cassette**	[kœ**ssèt**]

clutch	**embrayage**	[klotch]
demister	**dégivreur**	[dî**fRo**'stœR]
diesel	**diesel**	[**dî**'zœl]
electric windows	**glaces électriques**	[èlèktRík wíndôz]
fan	**ventilateur**	[fa'n]
front (rear) door	**portière avant (arrière)**	[**fRont** (**Rî**'R) dô'R]
fuses	**fusibles**	[**fyou**zœz]
gear shift	**levier de changement de vitesse**	[**gî**'R chíft]
glove compartment	**boîte à gants**	[glov kom**pâR**tmœnt]
hand brake	**frein à main**	[**Han**d bRék]
hazard lights	**feux de détresse**	[**Ha**zœRd lâïts]
headlight	**phare**	[**Hèd**lâït]
heater	**chauffage**	[**Hî**'tœR]
horn	**avertisseur**	[HôRn]
ignition	**démarreur**	[ígníchœn]
key	**clé**	[kî']
lock	**serrure**	[lo'k]
oil	**huile**	[ôïl]
oil filter	**filtre à huile**	[**ôïl** fíltœR]
pedal	**pédale**	[**pè**dœl]
petrol	**essence**	[**pè**trœl]
radiator	**radiateur**	[**Ré**dîé'tœR]
radio	**radio**	[**Ré**dîô]
rear-view mirror	**rétroviseur**	[**Rî**'Rvyou míRœR]
seat	**siège**	[sî't]
steering wheel	**volant**	[**stî**'Ríng wî'l]

sunroof	**toit ouvrant**	[so**n**Rou'f]
tyre	**pneu**	[tâïœR]
turn signal	**clignotant**	[**tœR**n sígnœl]
unleaded petrol	**essence sans plomb**	[on**lè**dœd pètrœl]
warning light	**témoin lumineux**	[**wo'**Rníñg lâït]
water	**eau**	[**wau**tœR]
windscreen	**pare-brise**	[**wínd**scrîn]
windscreen wiper	**essuie-glace**	[**wínd**scrîn wâïpœR]

Faire le plein – *Filling up*

Le plein, s'il vous plaît.
Fill it up, please.
[fíl ít **op**, plî'z]

Mettez-en pour dix livres.
Put in ten pounds' worth.
[pøut ín tèn paôndz wœRtH]

Pourriez-vous vérifier la pression des pneus, s'il vous plaît?
Could you check the tyre pressure, please?
[køud you tchèk dHe **tâï**œR pRèchœR, plî'z?]

Acceptez-vous les cartes de crédit?
Do you take credit cards?
[dou you ték **kRè**dít kâRdz?]

SANTÉ – *HEALTH*

hôpital	*hospital*	[**Ho**'spítœl]
salle d'urgence	*casualty*	[kajoualtî]
pharmacie	*chemist*	[kèmíst]
médecin	*doctor*	[**do**'ktœR]
dentiste	*dentist*	[**dèn**tíst]
J'ai mal...	*It hurts here... / My... hurts*	[ít HœRts **Hî**'R... / mâï... Hœrts]
à l'abdomen	*abdomen*	[**ab**demœn]
aux dents	*tooth*	[tî'tH]
au dos	*back*	[ba'k]
à la gorge	*throat*	[tHRô't]
au pied	*foot*	[føut]
à la tête	*head*	[Hèd]
au ventre	*stomach*	[**sto**mœk]

Je suis constipé.
I am constipated.
[âï am **kon**stípétœd]

J'ai la diarrhée.
I have diarrhea.
[âï Hav dâïœ**Rî**'â]

Je fais de la fièvre.
I have a fever.
[âï Hav e **fî**'vœR]

Mon enfant fait de la fièvre.
My child has a fever.
[mâï tchâïld Haz e **fi**'vœR]

J'ai la grippe.
I have the flu.
[âï Hav dHe **flou**']

Je voudrais renouveler cette ordonnance.
I would like to refill this prescription.
[âï wøud lâïk tou **Rî**fíl dHíss pRí**skRíp**chœn]

Avez-vous des médicaments contre...
Do you have medication for...
[dou you Hav mèdí**ké**chœn fôR...]

le mal de tête?
headache?
[**Hè**dék?]

la grippe?
the flu?
[dHe **flou**'?]

Je voudrais...
I would like...
[âï wøud lâïk...]

des anovulants
birth control pills
[**bœR**tH kontRôl pílz]

des préservatifs
condoms
[**kon**dœmz]

de la crème solaire
sunblock
[**so_n_**blo'k]

un insectifuge
insect repellent
[í_n_sèkt Rí**pè**lœ_n_t]

du baume pour les piqûres d'insecte
insect-bite cream
[**í_n_**sèkt bâït kRî'm]

une solution nettoyante (mouillante) pour verres de contact souples (rigides)
cleaning (soaking) solution for soft (hard) contact lenses
[klî'níñg (sô'kíñg) so**lou**'chœ_n_ fôR soft (HâRd) ko_n_takt **lè_n_**zœz]

un collyre
an eyewash
[èn **âï**wâch]

URGENCES – *EMERGENCIES*

Au feu!
Fire!
[**fâï**œR!]

Au secours!
Help!
[Hèlp!]

Au voleur!
Stop thief!
[**sto**'p tHî'f!]

S'il vous plaît, appelez la police.
Please call the police.
[plî'z kâ'l dHe polîss]

S'il vous plaît, appelez une ambulance.
Please call an ambulance.
[plî'z kâ'l an **amm**byoulœnss]

Où est l'hôpital?
Where is the hospital?
[wèR íz dHe **Hos**'pítœl?]

S'il vous plaît, emmenez-moi / le / la à l'hopital.
Please take me / him / her to the hospital.
[plî'z ték mî / Hím / HœR tou dHe **Ho**'spítœl]

On m'a agressé.
I was attacked.
[âï wâz e**ta**'kt]

On m'a volé.
I was robbed.
[âï wâz **Ro**'bd]

On a volé nos bagages dans la voiture.
Our luggage was stolen out of our car.
[âœR logœdj wâz **stô**lœn aôt ov âœR kâR]

On a volé mon portefeuille.
My purse (femme) / wallet (homme) was stolen.
[mâï pœRs / **wâ**'lœt wâz stôlœn]

On a volé ma bourse
My handbag was stolen.
[mâï handbag wâz stôlœn

Ils avaient une arme.
They had a weapon.
[dHé Had e **wè**pœn]

Ils avaient un couteau.
They had a knife.
[dHé Had e **nâïf**]

Ils avaient un pistolet.
They had a gun.
[dHé Had e **gon**]

L'ARGENT – *MONEY*

banque
bank
[bañk]

bureau de change
exchange bureau
[íks**tchén**dj byouRô]

Quel est le taux de change pour le...
What is the exchange rate for the...
[wât íz dHî íks**tchén**dj rét fôR dHe...]

euro?
Euro?
[yœrô]

dollar canadien?
Canadian dollar?
[kœ**né**díœn do'lœR?]

dollar américain?
American dollar?
[e**mè**Ríkœn̲ do'lœR?]

franc suisse?
Swiss franc?
[**swí**ss frañk?]

livre sterling?
pound sterling?
[**paô**nd stœRlíñg?]

Je voudrais changer des dollars américains (canadiens).
I would like to exchange American dollars (Canadian dollars).
[âï wøud lâïk tou íkstchén̲dj e**mè**Ríkœn̲ do'lœRz (kœ**né**dîœn̲ do'lœRz)]

Je voudrais encaisser des chèques de voyage.
I would like to change some traveller's cheques.
[âï wøud lâïk tou tchén̲dj som **tRa**'vœlœRz tchèkss]

Je voudrais obtenir une avance de fonds sur ma carte de crédit.
I would like to get a cash advance on my credit card.
[âï wøud lâïk tou gèt e **ka**'ch edvan̲ss on̲ mâï **kRè**dít̲ kâRd]

Où peut-on trouver un guichet automatique (un distributeur de billets)?
Where can I find a cash machine?
[wèR kan̲ âï fâïn̲d a **kach** mechî'n?]

POSTE ET TÉLÉPHONE – *POST AND TELEPHONE*

timbres	*stamps*	[stampss]
poids	*weight*	[wét]
par avion	*air mail*	[è'**R** mél]
courrier rapide	*express mail*	[èks**pRèss** mél]
boite à lettres	*postbox*	[pôstboks]

Où se trouve le bureau de poste?
Where is the post office?
[wèR íz dHe **pôst** o'físs?]

Combien coûte l'affranchissement d'une carte postale pour la France?
How much is it to post a postcard to France?
[Haô motch íz ít tou pôst e **pôst**kâRd tou Franss?]

Combien coûte l'affranchissement d'une lettre pour la France?
How much is it to post a letter to France?
[Haô motch íz ít tou pôst e **lè**tœR tou Franss?]

Où est le téléphone public le plus proche?
Where is the nearest phone box?
[wèR íz dHe nî'Rœst **fô'n** boks?]

Que faut-il faire pour placer un appel local?
How do I make a local call?
[Haô dou âï mék e **lô**kœl kau'l?]

Que faut-il faire pour appeler en France?
How do I call France?
[Haô dou âï kau'l **Franss**?]

Je voudrais acheter une carte de téléphone.
I would like to buy a telephone card.
[âï wøud lâïk tou bâï e **tè**lefô'n kâRd]

J'aimerais avoir de la monnaie pour téléphoner.
I would like some change to make a telephone call.
[âï wøud lâïk som **tchén**dj tou mék e **tè**lefô'n kau'l]

Comment les appels sont-ils facturés à l'hôtel?
How are telephone calls billed at the hotel?
[Haô âR tèlefô'n kau'lz **bí**'ld at dHe Hôtèl?]

Je fais un appel sans frais.
I am placing a toll-free call.
[âï am plésíng e tô'l**fRî**' kau'l]

Je voudrais faire un appel de personne à personne.
I would like to make a person-to-person call.
[âï wøud lâïk tou mék e **pœR**sœn tou pœRsœn kâ'l]

Je voudrais envoyer un fax.
I would like to send a fax.
[âï wøud lâïk tou sènd e **fa**'kss]

Avez-vous reçu un fax pour moi?
Have you received a fax for me?
[Hav you Rísšî'vd e **fa**'kss fôR mî?]

Je voudrais envoyer un message électronique (courriel).
I would like to send an e-mail.
[âï wøud lâïk tou sènd an îmél]

L'ÉLECTRICITÉ – *ELECTRICITY*

Où puis-je brancher mon rasoir?
Where can I plug my razor in?
[wèR kan âï plog mâï **Ré**zœR ín?]

L'alimentation est-elle de 220 volts?
Is the current 220 volts?
[íz dHe **kœ**Rœnt tou Hondrœd èn twèntÍ **vô**'ltss?]

La lampe ne fonctionne pas.
The light does not work.
[dHe **lâï**t doz not wœRk]

Où puis-je trouver des piles pour mon réveille-matin?
Where can I find batteries for my alarm clock?
[wèR kan âï fâïnd **ba**'tœRîz fôR mâï elâRm klo'k?]

Est-ce que je peux brancher mon ordinateur ici?
Could I plug my computer in here?
[køud âï plog mâï kom**pyou**tœR ín Hî'R?]

Y a-t-il une prise téléphonique pour mon ordinateur?
Is there a telephone point for my computer?
[íz dHèR e **tè**lefô'n pôïnt fôR mâï kom**pyou**tœR?]

MÉTÉO – *WEATHER*

la pluie	*rain*	[Rén]
le soleil	*sun*	[son]
le vent	*wind*	[wínd]
la neige	*snow*	[snô']
Il fait chaud.	*It's hot out.*	[ítss **Ho**t aôt]
Il fait froid.	*It's cold out.*	[ítss **kô**'ld aôt]
ensoleillé	*sunny*	[**so**nî]
nuageux	*cloudy*	[**klaô**dî]
pluvieux	*rainy*	[**Ré**nî]

rain	**la pluie**	[Rén]
sun	**le soleil**	[son]
wind	**le vent**	[wínd]
snow	**la neige**	[snô']
It's hot out.	**Il fait chaud.**	[ítss **Ho**t aôt]
It's cold out.	**Il fait froid.**	[ítss **kô**'ld aôt]
sunny	**ensoleillé**	[**so**nî]
cloudy	**nuageux**	[**klaô**dî]
rainy	**pluvieux**	[**Ré**nî]

Quel temps fera-t-il aujourd'hui?
What is the weather going to be like today?
[wât íz dHe **wè**dHœR gôíng tou bî **lâï**k toudé'?]

Comme il fait beau!
It's beautiful out!
[ítss **byou**'tíføul aôt!]

Quelle belle température!
What great weather!
[wât **gRét** wèdHœR!]

Comme il fait mauvais!
The weather is awful!
[dHc wèdHœR íz **au**'føul!]

Quel mauvais temps!
What terrible weather!
[wât **tè**Rebœl wèdHœR!]

Est-ce qu'il pleut?
Is it raining?
[íz ít **Ré**níñg?]

Va-t-il pleuvoir?
Will it rain?
[wíl ít **Ré**n?]

Prévoit-on de la pluie?
Is rain forecasted?
[íz **Ré**n fôRkastœd?]

Où puis-je trouver un parapluie?
Where can I find an umbrella / brolly?
[Wér kan âï fâïnd an ombrèla / brolî?]

ATTRAITS TOURISTIQUES – *EXPLORING*

aéroport	*airport*	[è'**R**pôRt]
cascade / chute	*waterfall*	[**wau**tœRfâ'l]
cathédrale	*cathedral*	[ke**tHî**drœl]
centre commercial	*shopping mall*	[**cho**'píñg mâl]
centre historique	*historic centre*	[Hís**to**Rík sèntœR]
château	*castle*	[**ka**'sœl]
chutes	*falls*	[**fau**'lz]
édifice	*building*	[**bíl**díñg]
église	*church*	[**tchœR**tch]
fleuve	*river*	[**Rí**vœR]
forteresse	*fortress*	[**fôR**tRœss]
fontaine	*fountain*	[**faô**ntœn]
fort	*fort*	[**fôR**t]
funiculaire	*funicular railway*	[fyouníkyøulœR Rélwé']
gare ferroviaire	*railway station*	[**Ré**lwé stéchœn]
gare routière	*bus station*	[**boss** stéchœn]
hôtel de ville	*city hall*	[**sí**tî Hau'l]
jardins	*gardens*	[gâRdínz]
jetée	*pier*	[pîR]
maison	*house*	[**Haô**ss]
manoir	*manor*	[**ma**'nœR]
marché	*market*	[**mâR**kœt]
marina	*marina*	[me**Rî**'nâ]

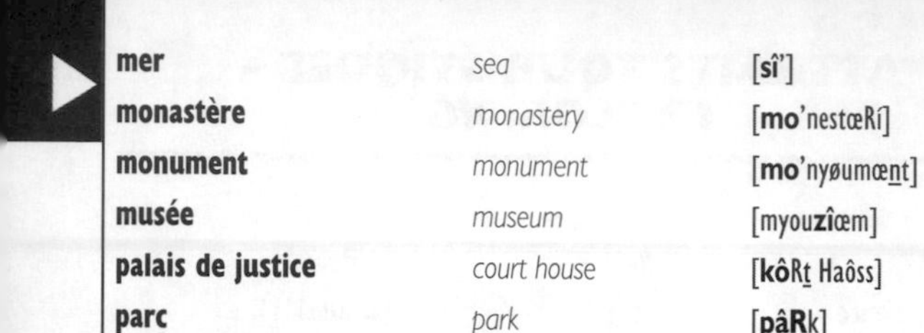

mer *sea* [sî']
monastère *monastery* [**mo**'nestœRí]
monument *monument* [**mo**'nyøumœnt]
musée *museum* [myou**zî**œm]
palais de justice *court house* [**kô**Rt Haôss]
parc *park* [**pâR**k]
parc d'attractions *amusement park / theme park* [**emyou**zmœnt pâRk / tHîm pâRk]
piscine *pool* [**pou'l**]
place centrale *town square* [taôn **skwèr**]
place du village *village green* [vílíj grîn]
plage *beach* [**bî'**tch]
pont *bridge* [**bR**ídj]
port *port / harbour* [**pôR**t / **HâR**bœR]
promenade *promenade* [pRome**na**'d]
pyramide *pyramid* [**pí**Remíd]
rivière *river* [**R**ívœR]
ruines *ruins* [**Rou**ínz]
site archéologique *archaeological site* [âRkîe**lo**'djíkœl sâït]
stade *stadium* [**sté**dîœm]
statue *statue* [**sta**'tyou]
téléférique *cablecar* [**ké**bœl kâR]
temple *temple* [**tè**mpœl]
théâtre *theatre* [**tH**îétœR]
tunnel *tunnel* [**to**nœl]
vieux centre *historic centre* [Hís**to**Rík sèntœR]

vieux port	*historic port*	[Hís**to**Rík pôRt]
zoo	*zoo*	[**zou'**]

airport	**aéroport**	[è'**R**poRt]
amusement park	**parc d'attractions**	[e**myou**zmœnt pâRk]
archaeological site	**site archéologique**	[âRkîe**lo**'djíkœl sâït]
beach	**plage**	[**bî**'tch]
bridge	**pont**	[**bRí**dj]
building	**édifice**	[**bíl**díñg]
bus station	**gare routière**	[**boss** stéchœn]
cablecar	**téléférique**	[**ké**bœl kâR]
castle	**château**	[kasœl]
cathedral	**cathédrale**	[ke**tHî**drœl]
church	**église**	[tchœRtch]
city hall	**hôtel de ville**	[**sí**tî Hâ'l]
court house	**palais de justice**	[**kô**Rt Haôss]
falls	**chutes**	[**fâ**'lz]
fort	**fort**	[**fôR**t]
fortress	**forteresse**	[**fôR**tRœss]
fountain	**fontaine**	[**faô**ntœn]
funicular railway	**funiculaire**	[fyouníkyøulœR Rélwé']
gardens	**jardins**	[gâRdínz]
harbour	**port**	[HâRbœR]
historic centre	**centre historique**	[Hís**to**Rík sèntœR]
historic port	**vieux port**	[Hís**to**Rík pôRt]

house	**maison**	[**Haô**ss]
manor	**manoir**	[**ma**'nœR]
marina	**marina**	[me**Rî**'nâ]
market	**marché**	[**mâR**kœt]
monastery	**monastère**	[**mo**'nestœRí]
monument	**monument**	[**mo**'nyøumœnt]
museum	**musée**	[myou**zî**œm]
park	**parc**	[**pâR**k]
pier	**jetée**	[pîR]
pool	**piscine**	[**pou**'l]
port	**port**	[**pôR**t]
promenade	**promenade**	[pRome**na**'d]
pyramid	**pyramide**	[**pí**Remíd]
river	**rivière / fleuve**	[**Rí**vœR]
ruins	**ruines**	[**Rou**ínz]
sea	**mer**	[**sî**']
shopping centre	**centre commercial**	[**cho**'píñg sèntœR]
stadium	**stade**	[**sté**diœm]
statue	**statue**	[**sta**'tyou]
temple	**temple**	[**tèm**pœl]
theatre	**théâtre**	[**tHî**étœR]
theme park	**parc d'attractions**	[tHîm pâRk]
town square	**place centrale**	[taôn **skwèr**]
train station	**gare ferroviaire**	[**tRén** stéchœn]
tunnel	**tunnel**	[**to**nœl]
village green	**place du village**	[vílíj grîn]

waterfall **cascade / chute** [**wau**tœRfau'l]

zoo **zoo** [**zou**']

Où se trouve le centre-ville?
Where is the town centre / city centre?
[wèR íz **dHe taôn sèn**tœR / **sítî sèn**tœR?]

Où se trouve la vieille ville?
Where is the historic part of town?
[wèR íz dHî HÍs**to**Rík pâRt ov taôn?]

Peut-on marcher jusque-là?
Can I walk there from here?
[kan âï **wau**'k dHèR fRom Hî'R?]

Quel est le meilleur chemin pour se rendre à...?
What is the best route to get to...?
[wât íz dHe **bèst** Rou't tou gèt tou...?]

Quelle est la meilleure façon de se rendre à...?
What is the best way to get to...?
[wât íz dHe **bèst** wé' tou gèt tou...?]

Combien de temps faudra-t-il?
How long will it take?
[Haô **loñg** wíl ít ték?]

Combien de temps faut-il pour se rendre à...?
How much time does it take to get to...?
[Haô motch **tâï**m doz ít ték tou gèt tou...?]

Où prend-on le bus pour le centre-ville?
Where do I catch the bus for downtown?
[wèR dou âï ka'tch dHe **boss** fôR daôntaôn?]

Y a-t-il une station de métro près d'ici?
Is there an underground / tyoub station near here?
[íz dHèR en **ond**œRgraônd / tyoub stéchœn nî'R Hî'R?]

Peut-on aller à... en métro?
Can you go to… by underground / tyoub?
[kan you gô tou… bâï **ond**œRgraônd / tyoub?]

Peut-on aller à... en bus?
Can you go to… by bus?
[kan you gô tou… bâï **boss**?]

Combien coûte un ticket de bus?
How much does a bus ticket cost?
[Haô motch doz e **boss** tíkít ko'st?]

Combien coûte un ticket de métro?
How much does a tube ticket cost?
[Haô motch doz e tyoub tíkít ko'st?]

Avez-vous un plan de la ville?
Do you have a city map?
[dou you Hav e **sí**tî map?]

Je voudrais un plan avec index.
I would like a map with an index.
[âï wøud lâïk e map wítH èn **ín**dèkss]

Au musée – *At The Museum*

anthropologie	*anthropology*	[antHRœ**po**'ledjî]
antiquités	*antiques*	[an**tî**'kss]
archéologie	*archaeology*	[âRkî**o**'ledjî]
architecture	*architecture*	[**âR**kítèktchœR]

art africain	*African art*	[**a**'fRíkœn âRt]
art asiatique	*Asian art*	[**é**jœn âRt]
art colonial	*Colonial art*	[kœ**lô**nîœl âRt]
Art déco	*Art Deco*	[âRt **dè**kô]
Art nouveau	*Art Nouveau*	[âRt nou**vô**]
art contemporain	*contemporary art*	[kœn**tèm**pœReRî âRt]
art moderne	*modern art*	[**mo**'dœRn âRt]
arts décoratifs	*decorative arts*	[**dè**kœRetív âRtss]
celtique	*celtic*	[**kèl**tík]
collection permanente	*permanent collection*	[**pœR**menœnt kœ**lèk**chœn]
colonisation	*colonization*	[kolenâï**zé**chœn]
exposition temporaire	*temporary exhibition*	[**tèm**pœReRî èksí**bí**chœn]
gothique	*Gothic*	[**go**tHík]
guerre des Deux-Roses	*Wars of the Roses*	[wauRz œv dHœ **Rô**zœz]
impressionnisme	*impressionism*	[ím-**pRè**chœnízœm]
normand	*Norman*	[**nôR**mœn]
peintures	*paintings*	[**pént**íñgz]
préraphaélite	*Pre-Raphaelite*	[pRî**Râ**faèlâït]
romain	*Roman*	[**Rô**mœn]
romantisme	*Romanticism*	[Rô**mân**tísízœm]
sciences naturelles	*natural sciences*	[**na**'tchRœl **sâï**œnsœz]
sculptures	*sculptures*	[**skolp**tchœRz]
«du temps des rois George I à IV»	*Georgian*	[**jôR**jœn]
Tudor	*Tudor*	[**tjou**dœR]
urbanisme	*town planning*	[taôn **plâ**ning]

victorien	*Victorian*	[vík**tô**Rîœn]
XIXe siècle	*19th century*	[nâïntî'ntH **sèn**tchœRî]
XXe siècle	*20th century*	[twèntíœtH **sèn**tchœRî]
XXIe siècle	*21th century*	[twèntí fœrst **sèn**tchœRî]

19th century	**XIXe siècle**	[nâïntî'ntH **sèn**tchœRî]
20th century	**XXe siècle**	[twèntíœtH **sèn**tchœRî]
21th century	**XXIe siècle**	[twèntí fœrst **sèn**tchœRî]
African art	**art africain**	[**a**'fRíkœn âRt]
anthropology	**anthropologie**	[antHRœ**po**'ledjî]
antiques	**antiquités**	[an**tî**'kss]
archaeology	**archéologie**	[âRkî**o**'ledjî]
architecture	**architecture**	[**âR**kítèktchœR]
Art Deco	**Art déco**	[âRt **dè**kô]
Art Nouveau	**Art nouveau**	[âRt nou**vô**]
Asian art	**art asiatique**	[**é**jœn âRt]
celtic	**celtique**	[**kèl**tík]
colonization	**colonisation**	[kolenâï**zé**chœn]
contemporary art	**art contemporain**	[kœn**tèm**pœReRî âRt]
decorative arts	**arts décoratifs**	[**dè**kœRetív âRtss]
Georgian	**«du temps des rois George I à IV»**	[**jôR**jœn]
Gothic	**gothique**	[**go**tHík]
impressionism	**impressionnisme**	[ím**pRè**chœnízœm]
modern art	**art moderne**	[**mo**'dœRn âRt]

Attraits touristiques

natural sciences	**sciences naturelles**	[**na**'tchRœl **sâï**œ<u>n</u>sœz]
Norman	**normand**	[**nôR**mœn]
Norman Conquest	**conquête normand**	[**nôR**mœn **kon**kwèst]
paintings	**peintures**	[**pé<u>n</u>**tíñgz]
permanent collection	**collection permanente**	[**pœR**menœ<u>n</u>t kœ**lèk**chœ<u>n</u>]
Pre-Raphaelite	**préraphaélite**	[pRî**Râ**faèlâït]
Roman	**romain**	[**Rô**mœn]
Romanticism	**romantisme**	[Rô**män**tísízœm]
sculptures	**sculptures**	[**skolp**tchœRz]
temporary exhibition	**exposition temporaire**	[**tè<u>m</u>**pœReRî èksí**bí**chœ<u>n</u>]
town planning	**urbanisme**	[taôn **plâ<u>n</u>**ing]
Tudor	**Tudor**	[**tjou**dœR]
Victorian	**victorien**	[víkt**ô**Rîœn]
wars of the Roses	**guerre des Deux-Roses**	[wauRz œv dHœ **Rô**zœz]

Combien coûte l'entrée?
What is the admission fee / charge?
[wât íz dHî ed**mí**chœ<u>n</u> fî' / tchaRj?]

Y a-t-il un tarif enfant / étudiant / aîné?
Is there a children's / student's / senior's rate?
[íz dHèR e t**chíl**drœnz / **stou**'dœ<u>n</u>ts / **sî**nyœRz rét?]

Les enfants doivent-ils payer?
Do children have to pay?
[dou tchíldrœ<u>n</u> Hav tou **pé**'?]

Quel est l'horaire du musée?
When is the museum open?
[wèn íz dHe myouzîœm **ô**pœn?]

Avez-vous de la documentation sur le musée?
Do you have any reading material on the museum?
[dou you Hav èní **Rî**'díñg metî'Rîœl o_n dHe myou**zî**œm?]

Est-il permis de prendre des photos?
May I / we take photographs?
[Mé âï / wî ték **fô**tœgRa'fss?]

Où se trouve le vestiaire?
Where is the cloakroom?
[wèR íz dHe **klôk**Roum?]

Y a-t-il une cafétéria?
Is there a cafeteria?
[íz dHèR e kafe**tî**Rîâ?]

Y a-t-il un café?
Is there a cafe?
[íz dHèR e **ka**'fé?]

Où se trouve le tableau de...?
Where is the painting by...?
[wèR íz dHe **pé_n**tíñg bâï...?]

À quelle heure ferme le musée?
What time does the museum close?
[wât tâïm doz dHe myou**zî**œm klôz?]

ACTIVITÉS DE PLEIN AIR – *OUTDOOR ACTIVITIES*

Où peut-on pratiquer...
Where can I...
[wèR kan âï...]

l'équitation?	*go horseback riding?*	[gô **HôR**ssbak Râïdíñg]
l'escalade?	*go rock climbing?*	[gô **rok** klâïmíñg]
le badminton?	*play badminton?*	[plé' **bad**míntœn]
le golf?	*play golf?*	[plé' **go**'lf]
la moto?	*ride a motorcycle?*	[Râïd e **mô**tœRsâïkœl]
la motonautisme?	*Jet Ski?*	[**djèt** skî]
la natation?	*go swimming?*	[gô **swí**míñg]
le parachutisme?	*go parachuting?*	[gô **pa**Rechoutíñg]
le parapentisme?	*go hang-gliding?*	[gô Hañglâïdíñg]
la pêche?	*go fishing?*	[gô **fí**chíñg]
la pêche sportive?	*go sport fishing?*	[gô **spô**'Rt fíchíñg]
la planche à voile?	*go windsurfing?*	[gô **wín**dsœRfíñg]
la plongée?	*go scuba diving?*	[gô **skou**bâ dâïvíñg]
la plongée-tuba?	*go snorkelling?*	[gô **snôR**kœlíñg]
le plongeon?	*go diving?*	[gô **dâï**víñg]
la randonnée pédestre?	*go hiking?*	[gô **Hâï**kíñg]
le ski alpin?	*go downhill skiing?*	[gô daônHíl **skî**íñg]
le ski de fond?	*go cross-country skiing?*	[gô **kRoss** contRî skîíñg]
le tennis?	*play tennis?*	[plé' **tè**níss]
le vélo?	*go bicycling?*	[gô **bâï**síklíñg]

le vélo de montagne?	*go mountain biking?*	[gô **maôn**tœn bâïkíñg]
la voile?	*go sailing*	[gô **sêl**ing]
le volley-ball?	*play volleyball?*	[plé' **vo**'líbau'l]
balle / ballon	*ball*	[bau'l]
bateau	*boat*	[bô't]
bâtons	*ski poles*	[**skî** pô'lz]
bâtons de golf	*golf clubs*	[**go**'lf klobz]
bicyclette	*bicycle / push-bike*	[**bâï**síkœl / **pøuch** bâïk]
bonbonne	*tank*	[tañk]
bottines	*boots*	[bou'tss]
cabine	*chalet*	[cha**lé**]
canne à pêche	*fishing rod*	[**fí**chíñg Rod]
chaise longue	*deck chair*	[**dèk** tchè'R]
courants	*currents*	[**kœ**Rœntss]
courants dangereux	*dangerous currents*	[déndjeRœss **kœ**Rœntss]
filet	*net*	[nèt]
maître nageur	*lifeguard*	[**lâï**fgâRd]
marée basse	*low tide*	[**lô**' tâïd]
marée haute	*high tide*	[**Hâï** tâïd]
masque	*mask*	[ma'sk]
matelas pneumatique	*lilo*	[**lâï**lô]
mer calme	*calm sea*	[**kâ**lm sî']
mer agitée	*rough sea*	[**Rof** sî']
palmes	*fins*	[fínz]
parasol	*parasol*	[**pa**Reso'l]

plage	*beach*	[bî'tch]
planche à voile	*windsurfer*	[**wín**dsœRfœR]
planche de surf	*surf board*	[**sœRf** bô'Rd]
raquette	*racket*	[**Ra**'kœt]
rocher	*rock*	[Rok]
sable	*sand*	[sa'nd]
skis	*skis*	[skî'z]
tennis	*tennis*	[**tè**níss]
voilier	*sailingboat*	[**sé**líñgbô't]

HÉBERGEMENT – *ACCOMMODATIONS*

ascenseur	*lift*	[líft]
balcon	*balcony*	[**bâ**'lkœnî]
bar	*bar*	[bâR]
bébé	*baby*	[bébî]
boutique	*boutique / shop*	[bou**tî**'k / chop]
bruit	*noise*	[nôïz]
bruyant	*noisy*	[**nôï**zî]
cafetière	*coffeemaker*	[**ko**'fîmékœR]
calme	*quiet*	[**kwâï**œt]
chaîne française	*French channel*	[fRèntch **tcha**'nœl]
chaise	*chair*	[tchè'R]
chambre	*room*	[Rou'm]
avec salle de bain	*en suite*	[ân swît]
avec douche	*with shower*	[wítH **chaô**wœR]
avec baignoire	*with bath*	[wítH **ba**tH]
chambre pour une personne	*single room*	[**síñg**œl Rou'm]
chambre pour deux personnes	*double room*	[**do**bœl Rou'm]
chambre pour trois personnes	*room for three people*	[Rou'm fôR **tHRî** pî'pœl]
chauffage	*heating*	[**Hî**'tíñg]
climatisation	*air conditioning*	[è'R kon**dí**chœníñg]
coffret de sûreté	*safe*	[séf]

congélateur	*freezer*	[**fRî'**zœR]
couverture	*blanket*	[**blañk**œt]
couverts	*cutlery*	[**kot**lœRî]
couvre-lit	*bedspread*	[**bèd**spRèd]
cuisinette	*kitchenette*	[**kít**chœnèt]
divan-lit	*sofa-bed*	[**sô**fa-bèd]
drap	*sheet*	[chî't]
eau purifiée	*purified water*	[**pyou**Rífâïd **wâ**tœR]
enfant	*child*	[tchâïld]
fenêtre	*window*	[**wín**dô]
fer à repasser	*iron*	[âïœRn]
four à micro-ondes	*microwave oven*	[**mâïk**Rôwév ovœn]
gant de toilette	*flannel*	[**fla'**nœl]
glaçon	*ice cube*	[**âïss** kyoub]
hôtel-appartement (résidence hôtelière)	*apartment-hotel*	[ep**âR**tmœnt Hôtèl]
intimité	*privacy*	[**pRí**vísî]
lave-linge	*washing machine*	[**wâ**chíñg mechî'n]
lave-vaisselle	*dishwasher*	[**dích**wâchœR]
lit à deux places	*double bed*	[**do**bœl bèd]
lits jumeaux	*twin beds*	[**twín** bèdz]
lit grand	*queen-size bed*	[**kwîn**sâïz bèd]
lit très grand	*king-size bed*	[**kíng**sâïz bèd]
lumière	*light / lamp*	[lâït / lamp]
minibar	*mini-bar*	[**mí**nîbâR]
nappe	*tablecloth*	[**té**bœlklotH]
oreiller	*pillow*	[**pí**lô']

piscine	*pool*	[pou'l]
planche à repasser	*ironing board*	[âïœRníñg bô'Rd]
radio	*radio*	[**Ré**dîô]
réfrigérateur	*refrigerator*	[Rif**Rí**djeRétœR]
restaurant	*restaurant*	[**Rès**tœRânt]
rideaux	*curtains*	[**kœ**Rtœnz]
savon	*soap*	[sô'p]
sèche-cheveux	*hair-dryer*	[**HéR**' dRâïœR]
serviette	*towel*	[**taô**œl]
store	*blind*	[blâïnd]
studio	*studio*	[**stou**'dîô]
suite	*suite*	[swî't]
table	*table*	[**té**bœl]
taie d'oreiller	*pillowcase*	[**pí**lôkéss]
télécopieur	*fax machine*	[**fa**'kss mechî'n]
téléphone	*telephone*	[**tè**lefô'n]
téléviseur	*television set*	[**tè**lívíjœn sèt]
télévision	*television*	[**tè**lívíjœn]
tire-bouchon	*corkscrew*	[**kôRk**skRou']
vaisselle	*dishes*	[**dí**chœZ]
ventilateur	*fan*	[fa'n]
vue sur...	*view of...*	[**vyou**' ov]
la mer	*the sea*	[dHe **sî**']
la ville	*the city*	[dHe **sí**tî]
la montagne	*the mountain*	[dHe **maô**ntœn]

Avez-vous une chambre libre pour cette nuit?
Do you have a room free for tonight?
[dou you Hav e Rou'm **fRî'** fôR tounâït?]

Quel est le prix de la chambre?
How much is the room?
[Haô motch íz dHe **Rou**'m?]

La taxe est-elle comprise?
Is tax included?
[íz ta'kss í<u>n</u>**klou**'dœd?]

Nous voulons une chambre avec salle de bain.
We would like a room with a bathroom.
[wî wøud lâïk e Rou'm wítH e **ba**'tHRou'm]

Le petit déjeuner est-il compris?
Is breakfast included?
[íz bRèkfœst í<u>n</u>**klou**'dœd?]

Avez-vous des chambres moins chères?
Do you have any less expensive rooms?
[dou you Hav èní lèss èk**pè<u>n</u>**sív Rou'mz?]

Pouvons-nous voir la chambre?
Could we see the room?
[køud wî **sî'** dHe Rou'm?]

Je la prends.
I will take it.
[âï wíl **ték** ít]

J'ai une réservation au nom de...
I have a reservation in the name of...
[âï Hav e RèzœR**vé**chœ<u>n</u> ín dHe ném ov...]

On m'a confirmé le tarif de...
I have a confirmed rate of...
[âï Hav e konfœRmd rét ov...]

Est-ce que vous acceptez les cartes de crédit?
Do you take credit cards?
[dou you ték **kRè**dít kâRdz?]

Est-il possible d'avoir une chambre plus calme?
Would it be possible to have a quieter room?
[wøud ít bî **po**'ssíbœl tou Hav e **kwâï**etœR Rou'm?]

Où pouvons-nous garer la voiture?
Where can we park the car?
[wèR kan wî **pâR**k dHe kâR?]

Quelqu'un peut-il nous aider à monter nos bagages?
Could someone help us take our bags to the room?
[køud somwân **Hèlp** oss ték âœR **ba**'gz tou dHe Rou'm?]

À quelle heure devons-nous quitter la chambre?
When is checkout time?
[wèn íz **tchèk**aôt tâïm?]

Peut-on boire l'eau du robinet?
Is the tap water drinkable?
[íz dHe **ta**'p wâtœR **dRíñk**ebœl?]

À partir de quelle heure peut-on prendre le petit déjeuner?
When is breakfast served?
[wèn íz **bRèk**fœst sœRvd?]

Pourrions-nous changer de chambre?
Could we change our room?
[køud wî **tchén**dj âœR Rou'm?]

Nous voudrions une chambre moins bruyante.
We would like a quieter room.
[wî wøud lâïk e **kwâï**etœR Rou'm]

Nous voudrions une chambre avec vue sur la mer.
We would like a room with a view of the sea.
[wî wøud lâïk e **Rou**'m wítH e vyou' ov dHe **sî**']

Est-ce que nous pouvons avoir deux clés?
Could we have two keys?
[køud wî Hav **tou** kî'z?]

Y a-t-il...
Is there...
[íz dHèR]

une piscine?	*a pool?*	[e **pou**'l]
un gymnase?	*a gym?*	[e **djím**]
un court de tennis?	*a tennis court?*	[e **tè**níss kô'Rt]
un terrain de golf?	*a golf course / golf links?*	[e **go**'lf kô'Rss / **go**'lf línks]
une marina?	*a marina?*	[e me**Rî**'nâ]

À partir de quelle heure peut-on aller à la piscine?
What time does the pool open?
[wât tâïm doz dHe pou'l **ô**pœn?]

Jusqu'à quelle heure la piscine est-elle ouverte?
What time does the pool close?
[wât tâïm doz dHe **pou**'l klôz?]

Où pouvons-nous prendre des serviettes pour la piscine?
Where can we get towels for the pool?
[wèR kan wî gèt **taô**œlz fôR dHe **pou**'l?]

Y a-t-il un service de bar à la piscine?
Is there bar service at the pool?
[íz dHèR **bâR** sœRvíss at dHe pou'l?]

Quelles sont les heures d'ouverture du gymnase?
When is the gym open?
[wèn íz dHe djím **ô**pœn?]

Y a-t-il un coffret de sûreté dans la chambre?
Does the room have a safe?
[doz dHe Rou'm Hav e **séf**?]

Pouvez-vous me réveiller à...?
Could you wake me up at...?
[køud you wék mî **op** at...?]

La climatisation ne fonctionne pas.
The air conditioning does not work.
[dHî è'R kon**dí**chœníñg doz not wœRk]

La cuvette des toilettes est bouchée.
The toilet is blocked.
[dHe tôïlœt íz **blo**'kt]

Il n'y a pas d'électricité.
There is no electricity.
[dHèR íz nô ílèk**tRí**ssítî]

Puis-je avoir la clé du coffret de sûreté?
May I have the key to the safe?
[mé' âï Hav dHe kî' tou dHe **séf**?]

Le téléphone ne fonctionne pas.
The telephone does not work.
[dHe **tè**lefô'n doz not wœRk]

Avez-vous des messages pour moi?
Do you have any messages for me?
[dou you Hav ènî **mè**ssedjœz fôR mî]

Avez-vous reçu un fax pour moi?
Have you received a fax for me?
[Hav you Ríssî'vd e **fa**'kss fôR mî]

Pouvez-vous nous appeler un taxi?
Could you call us a taxi?
[køud you kau'l oss e **ta**'ksî?]

Pouvez-vous nous appeler un taxi pour demain à 6 h?
Could you call us a taxi for tomorrow morning at 6 a.m.?
[køud you kau'l oss e **ta**'ksî fôR toumoRô **môR**níñg at síkss é èm?]

Nous partons maintenant.
We are leaving now.
[wî âR **lî**'víñg naô]

Pouvez-vous préparer la facture?
Could you get the bill ready?
[køud you gèt dHe **bíl** Rèdî?]

Je crois qu'il y a une erreur sur la facture.
I think there is a mistake on the bill.
[âï tHíñk dHèR íz e mís**ték** on dHe bíl]

On m'avait garanti le tarif de...
I had a confirmed rate of...
[âï Had e kon**fœRm**d rét ov...]

Pouvez-vous faire descendre nos bagages?
Could you have our bags brought down?
[køud you Hav âœR **ba**'gz bRo't daôn?]

Pouvez-vous garder nos bagages jusqu'à...?
Could you keep our bags until...?
[køud you kî'p âœR **ba**'gz ontíl...?]

Merci pour tout, nous avons fait un excellent séjour chez vous.
Thank you for everything, we have had an excellent stay here.
[tHañk you fôR **è**vRîtHíñg, wî Hav Had an **èk**sœlœnt sté' Hî'R]

Nous espérons revenir bientôt.
We hope to come back soon.
[wî Hô'p tou kom ba'k **sou**'n]

AU RESTAURANT – *AT THE RESTAURANT*

La cuisine mexicaine...
Mexican cuisine...
[mèksíkœn **kwí**zî'n...]

Pouvez-vous nous recommander un restaurant...?
Could you recommend ... restaurant?
[køud you rèkœmènd ... RèstœRânt?]

français	*a French*	[e **fRèntch**]
italien	*an Italian*	[an í**ta**'lyœn]
chinois	*a Chinese*	[e tchâï**nî**'z]
mexicain	*a Mexican*	[e **mèk**síkœn]
indien	*an Indian*	[an **ín**dîœn]
japonais	*a Japanese*	[e dja'pe**nî**'z]

Je voudrais faire une réservation pour quatre personnes vers 21 heures.
I would like to make a reservation for four people for about 9 p.m.
[âï wøud lâïk tou mék e RèzœR**vé**chœn̲ fôR **fôR** pî'pœl fôR ebaôt̲ **nâïn̲** pî èm]

Je voudrais faire une réservation pour deux personnes vers 20 heures.
I would like to make a reservation for two people for about 8 p.m.
[âï wøud lâïk tou mék e RèzœR**vé**chœn̲ fôR **tou** pî'pœl fôR ebaôt̲ **ét** pî èm]

Est-ce que vous aurez de la place plus tard?
Will you have room later on?
[wíl you Hav Rou'm **lé**tœR on̲?]

Je voudrais réserver pour demain soir.
I would like to reserve for tomorrow night.
[âï wøud lâïk tou Rí**zœ**Rv fôR tou**mo**Rô nâït]

Quelles sont les heures d'ouverture du restaurant?
When is the restaurant open?
[wèn íz dHe **Rès**tœRânt̲ ôpœn̲?]

À quelle heure le restaurant ouvre-t-il?
What time does the restaurant open?
[wât tâïm doz dHe **Rès**tœRânt̲ ôpœn̲?]

À quelle heure le restaurant ferme-t-il?
What time does the restaurant close?
[wât tâïm doz dHe **Rès**tœRânt̲ klôz?]

Acceptez-vous les cartes de crédit?
Do you take credit cards?
[dou you ték **kRè**dít̲ kâRdz?]

J'aimerais voir le menu.
I would like to see the menu.
[âï wøud lâïk tou sî' dHe **mè**nyou]

Pouvons-nous simplement prendre un verre?
Could we just have a drink?
[køud wî djost Hav e **dRíñk**?]

Pouvons-nous simplement prendre un café?
Could we just have a coffee?
[køud wî djost Hav e **ko**'fî?]

Je suis végétarien.
I am vegetarian.
[âï am vèdjí**tè**'Rîœn]

Je ne mange pas de porc.
I do not eat pork.
[âï dou not î't **pô**'Rk]

Je suis allergique aux noix.
I am allergic to nuts.
[âï am el**œR**djík tou notss]

Je suis allergique aux œufs.
I am allergic to eggs.
[âï am el**œR**djík tou ègz]

Servez-vous du vin au verre?
Do you serve wine by the glass?
[dou you sœRv wâïn bâï dHe **gla**'ss?]

Nous n'avons pas eu...
We did not get...
[wî did **not** gèt...]

J'ai demandé...
I asked for...
[âï **a**'skt fôR...]

C'est froid.
It is cold.
[ít íz **kô**'ld]

C'est trop salé.
It is too salty.
[ít íz tou **sâl**tî]

Ce n'est pas frais.
It is not fresh.
[ít íz no<u>t</u> **fRè**ch]

L'addition, s'il vous plaît.
The bill please.
[dHe **bíl** plî'z]

Le service est-il compris?
Is the tip included?
[íz dHe típ í<u>n</u>**klou**'dœd?]

Merci, ce fut un excellent repas.
Thank you, it was an excellent meal.
[**tHañk** you, ít wâz a<u>n</u> **èk**sœlœ<u>n</u>t mî'l]

Merci, nous avons passé une très agréable soirée.
Thank you, we have had a very pleasant evening.
[**tHañk** you, wî Hav Had e vèRî **plè**zœ<u>n</u>t î'vníñg]

Je voudrais une table...
I would like a table...
[âï wøud lâïk e **té**bœl]

sur la terrasse	*on the patio*	[on dHe **pa**'tîô]
près de la fenêtre	*near the window*	[nî'R dHe **wín**dô]
en haut	*upstairs*	[op**stè**'Rz]
en bas	*downstairs*	[daô'n**stè**'Rz]

salle à manger	*dining room*	[**dâï**níñg Rou'm]
cuisine	*kitchen*	[**kít**chœn]
terrasse	*patio*	[**pa**'tîô]
toilette	*toilet / loo*	[**tôï**lít / lou]
table	*table*	[**té**bœl]
fenêtre	*window*	[**wín**dô]
chaise	*chair*	[tchè'R]
banquette	*booth*	[bou'tH]

petit déjeuner	*breakfast*	[**bRèk**fœst]
déjeuner	*lunch*	[lontch]
thé	*tea / high tea*	[tî / hâï tî]
dîner	*dinner / supper*	[**dí**nœR / **so**pœR]

entrée	*appetizer*	[**a**pítâïzœR]
soupe	*soup*	[sou'p]
plat	*dish*	[dích]
plat principal	*main dish*	[**mén** dích]
sandwich	*sandwich*	[**sa**'nwítch]
salade	*salad*	[**sa**'lœd]
fromage	*cheese*	[tchî'z]
dessert	*dessert / pudding*	[dí**zœRt** / **pøu**díng]

apéritif	*aperitif*	[epèRí**tîf**]
digestif / pousse-café	*liqueur*	[lík**yœR**]
bière	*beer*	[bî'R]
cidre	*cider*	[**sâï**dœR]
vin	*wine*	[wâïn]
carte des vins	*wine list*	[**wâïn** líst]
vin blanc	*white wine*	[**wâït** wâïn]
vin rouge	*red wine*	[**Rèd** wâïn]
vin maison	*house wine*	[**Haô**ss wâïn]
bouteille	*bottle*	[**bo**tœl]
demi-bouteille	*half-bottle*	[**Haf** botœl]
un demi	*half*	[Haf]
un quart	*quarter*	[**kauR'**tœR]
sec	*dry*	[dRâï]
doux	*sweet*	[swî't]
mousseux	*bubbly / sparkling*	[**bo**blî / **spâR**klíñg]
avec glaçons	*with ice*	[wítH **âï**ss]
sans glaçons	*without ice*	[wí**dHaôt** âïss]
eau minérale	*mineral water*	[**mí**neRœl wâtœR]
eau minérale pétillante	*sparkling mineral water*	[**spâR**klíñg míneRœl wâtœR]
eau minérale plate	*flat mineral water*	[**fla**'t míneRœl wâtœR]
café	*coffee*	[**ko**'fî]
café au lait	*coffee with milk*	[**ko**'fî wítH mílk]

sucre	*sugar*	[**chøu**gœR]
express	*espresso*	[èsp**Rè**ssô]
thé	*tea*	[tî’]
lait	*milk*	[mílk]
crème	*cream*	[kRî’m]
jus	*juice*	[djou’ss]
jus d’orange	*orange juice*	[**o**’Rœndj djou’ss]
tisane	*herbal tea*	[**HœR**bœl tî’]
chocolat chaud	*cocoa / hot chocolate*	[kô’kô’ / Hot **tcho**’klœt]
boisson gazeuse	*fizzy / drink / pop*	[**fí’**zî dRíñk / pop]
sel	*salt*	[sâlt]
poivre	*pepper*	[**pè**pœR]
sauce	*sauce*	[sau’ss]
sauce	*gravy*	[grévî]
beurre	*butter*	[**bo**tœR]
pain	*bread*	[bRèd]
épice	*spice*	[spâïss]
épicé	*spicy*	[**spâï**ssî]
assiette	*plate*	[**plét**]
cendrier	*ashtray*	[**ach**tRé’]
couteau	*knife*	[**nâïf**]
cuillère	*spoon*	[**spou**’n]
fourchette	*fork*	[**fôR**k]
menu	*menu*	[**mè**nyou]

serviette de table	*napkin*	[**nap**kín]
soucoupe	*saucer*	[**sau**'ssœR]
tasse	*cup*	[**cop**]
verre	*glass*	[**gla**'ss]
plats végétariens	*vegetarian dishes*	[vèdjí**tè**'Rîœn díchœz]
légumes	*vegetables*	[**vèdj**tebœlz]
fruits	*fruits*	[fRou'tss]
grillades	*grilled meat / vegetables*	[gRíld **mî**'t / **vèdj**tebœlz]
poisson	*fish*	[fích]
fruits de mer	*seafood*	[**sî**'fou'd]
volaille	*poultry*	[**pôl**tRí]
viande	*meat*	[mî't]
abats	*offal*	[**o**'fœl]
venaison	*venison*	[**vè**níssœn]
saucisse	*sausage*	[**so**'sœdj]
noix	*nuts*	[notss]
riz	*rice*	[Râïss]
frites	*chips*	[tchíps]
chips	*crisps*	[krísps]
bonbons	*sweets*	[swîtss]
saignant	*rare*	[Rè'R]
rosé	*medium rare*	[**mî**'dîœm Rè'R]
à point (médium)	*medium*	[**mî**'dîœm]
bien cuit	*well done*	[**wèl** don]

farci *stuffed* [stoft]

cru *raw* [Râ']

gratiné *au gratin* [ô gRa**tin**]

pané *breaded* [**bRè**dœd]

au four *baked* [békt]

à la poêle *sauteed* [**pan** fRâïd / **sô**téd]

sur le gril *grilled* [gRíld]

sur charbons de bois *over a wood fire* [ôvœR e **wøud** fâïœR]

émincé *minced* [mínst]

rôti *roasted* [**Rô**stœd]

sauté *stir fry* [**stœR** fRâï]

Petit déjeuner – *Breakfast*

café *coffee* [**ko**'fî]

thé *tea* [tî]

confiture *jam* [djam]

crêpes *pancakes / crepes* [**pan**kékss / kRêpss]

fruits *fruits* [fRou'tss]

gaufres *waffles* [**wâ**fœlz]

gelée *jelly* [**djè**lí]

musli *muesli* [**myou**zlî]

jus *juice* [djou'ss]

saucisse *sausage* [**sau'**sœj]

bacon *bacon* [bâïkœn]

marmelade *marmalade* [**maR**meléd]

œufs	*eggs*	[ègz]
omelette	*omelette*	[**o**'mlœt]
pain doré (pain perdu)	*French toast / eggy bread*	[fRèntch **tô'st** / ègî **bRèd**]
toasts	*toast*	[tô'st]
yaourt	*yogurt*	[**yo**gœRt]
fromage	*cheese*	[tchî'z]
fromage frais (fromage blanc)	*soft cheese*	[**soft** tchî'z]
croissant	*croissant*	[kRoi**ssant**]
viennoiserie	*pastry*	[**pés**tRî]
pain	*bread*	[bRèd]
pain de blé entier	*brown bread*	[brâon **bRèd**]

Légumes – *Vegetables*

ail	*garlic*	[**gâR**lík]
asperges	*asparagus*	[es**pa**'Regœss]
aubergine	*aubergine*	[ôbœRjîn]
avocat	*avocado*	[avo**ka**'dô]
brocoli	*broccoli*	[**bRo**'kelî]
carotte	*carrot*	[**ka**'Rœt]
céleri	*celery*	[**sè**leRî]
champignon	*mushroom*	[moch**Rou**'m]
chou	*cabbage*	[**ka**'bœdj]
chou-fleur	*cauliflower*	[**ko**líflaôœR]
choux de Bruxelles	*Brussels sprouts*	[**bRo**ssœlz spRaôtss]

concombre *cucumber* [**kyou**kombœR]
courge *squash* [skwâch]
courgette *courgette* [kouR**jèt**]
cresson *watercress* [**wâ**tœRkRèss]
épinards *spinach* [**spí**nœtch]
fenouil *fennel* [**fè**nœl]
fève *bean* [bî'n]
gombo *okra* [**ô**kRâ]
haricot *string bean* [**stRíñg** bî'n]
laitue *lettuce* [**lè**tíss]
maïs *sweetcorn* [**swît**kôRn]
navet *turnip* [**tœR**níp]
oignon *onion* [**ony**œn]
piment *red / hot / chilli pepper* [Rèd / Hot / tchí'li pèpœR]
poireau *leek* [lî'k]
pois *pea* [pî']
pois mange-tout *snowpea* [**snô**'pî']
poivron *sweet / bell pepper* [**swî't / bèl** pèpœR]
pomme de terre *potato* [po**té**tô]
radis *radish* [**Ra**'dích]
tomate *tomato* [to**mâ**tô]

asparagus	**asperges**	[es**pa**'Regœss]
aubergine	**aubergine**	[ôbœRjîn]
avocado	**avocat**	[avo**ka**'dô]
bean	**fève**	[bî'n]
broccoli	**brocoli**	[**bRo**'kelî]
Brussels sprouts	**choux de Bruxelles**	[**bRo**ssœlz spRaôtss]
cabbage	**chou**	[**ka**'bœdj]
carrot	**carotte**	[**ka**'Rœt]
cauliflower	**chou-fleur**	[**ko**líflaôœR]
celery	**céleri**	[**sè**leRî]
corn	**maïs**	[kôRn]
courgette	**courgette**	[kouR**jèt**]
cucumber	**concombre**	[**kyou**kombœR]
fennel	**fenouil**	[**fè**nœl]
garlic	**ail**	[**gâR**lík]
leek	**poireau**	[lî'k]
lettuce	**laitue**	[**lè**tœss]
mushroom	**champignon**	[moch**Rou**'m]
okra	**gombo**	[**ô**kRâ]
onion	**oignon**	[**on**yœn]
pea	**pois**	[pî']
potato	**pommes de terre**	[po**té**tô]
radish	**radis**	[**Ra**'dích]
red / hot / chilli pepper	**piment**	[Rèd / Hot / tchí'li pèpœR]
snowpea	**pois mange-tout**	[**snô**'pî']
spinach	**épinards**	[**spí**nœtch]

squash	**courge**	[skwâch]
string bean	**haricot**	[stRíñg bî'n]
sweet / bell pepper	**poivron**	[**swî't / bèl** pèpœR]
tomato	**tomate**	[to**mâ**tô]
turnip	**navet**	[**tœR**níp]
watercress	**cresson**	[**wâ**tœRkRèss]

Viandes – *Meat*

agneau	*lamb*	[la'mb]
bifteck	*steak*	[stèk]
bœuf	*beef*	[bî'f]
boudin	*blood / black pudding*	[**blod / blak** pøudíng]
boulette	*meatball*	[**mî**'t bâ'l]
brochette	*shish kebab*	[**chích** kèbab]
caille	*quail*	[kwél]
canard	*duck*	[dok]
cerf	*deer*	[dî'R]
cervelle	*brains*	[bRénz]
chapon	*capon*	[**ké**pon]
chèvre	*goat*	[gô't]
chevreau	*kid*	[kíd]
côtelette	*cutlet*	[**ko**tlœt]
cubes	*cubes*	[kyoubz]
cuisse	*thigh / leg*	[tHâï / lèg]
dinde	*turkey*	[**tœR**kî]
entrecôte	*ribsteak*	[**Ríb**sték]

escalope *escalope* [èske**lop**]
filet *fillet / tenderloin* [**fíl**'ít / **tèn**dœRlôïn]
foie *liver* [**lív**œR]
fumé *smoked* [smôkt]
grillé *grilled* [gRíld]
haché *ground* [gRaônd]
jambon *ham* [Ham]
jarret *shank* [chañk]
langue *tongue* [toñg]
lapin *rabbit* [**Ra**'bít]
lièvre *hare* [Hè'R]
magret de canard *breast of duck* [brèst ov **dok**]
oie *goose* [gou'ss]
pattes *feet* [fî't]
perdrix *partridge* [**pâR**tRídj]
poitrine *breast* [bRèst]
porc *pork* [pô'Rk]
poulet *chicken* [**tchí**kœn]
ris *sweetbreads* [**swî**'tbRèdz]
rognons *kidneys* [**kíd**nî'z]
sanglier *boar* [bôR]
tartare *tartare* [**tâR**tœR]
tranche *slice* [slâïss]
veau *veal* [vî'l]

◆ ◆ ◆

beef	**bœuf**	[bî'f]
blood / black pudding	**boudin**	[**blod / blak** pøudíng]
boar	**sanglier**	[bôR]
brains	**cervelle**	[bRénz]
breast	**poitrine**	[bRèst]
capon	**chapon**	[**ké**pœn]
chicken	**poulet**	[**tchí**kœn]
cubes	**cubes**	[kyou'bz]
cutlet	**côtelette**	[**ko**tlœt]
deer	**cerf**	[dî'R]
duck	**canard**	[dok]
escalope	**escalope**	[èske**lop**]
feet	**pattes**	[fî't]
fillet	**filet**	[**fíl**'ít]
goat	**chèvre**	[gô't]
goose	**oie**	[gou'ss]
grilled	**grillé**	[gRíld]
ground	**haché**	[gRaônd]
ham	**jambon**	[Ham]
hare	**lièvre**	[Hè'R]
iguana	**iguane**	[í**gwa**nâ]
kid	**chevreau**	[kíd]
kidneys	**rognons**	[**kíd**né'z]
lamb	**agneau**	[la'mb]
leg	**cuisse**	[lèg]
liver	**foie**	[**lí**vœR]

meatball	**boulette**	[**mî'**t bâ'l]
partridge	**perdrix**	[**pâR**tRídj]
pork	**porc**	[pô'Rk]
quail	**caille**	[kwél]
rabbit	**lapin**	[**Ra**'bít]
ribsteak	**entrecôte**	[**Ríb**sték]
shank	**jarret**	[chañk]
shish kebab	**brochette**	[**chích** kèbab]
slice	**tranche**	[slâïss]
smoked	**fumé**	[smôkt]
steak	**bifteck**	[sték]
sweetbreads	**ris**	[**swî'**tbRèdz]
tartare	**tartare**	[**tâR**tœR]
tenderloin	**filet**	[**tèn**dœRlôïn]
thigh	**cuisse**	[tHâï]
tongue	**langue**	[toñg]
turkey	**dinde**	[**tœR**kî]
veal	**veau**	[vî'l]

Poissons et fruits de mer – *Fish and Seafood*

anchois	*anchovy*	[**an**tchovî]
anguille	*eel*	[î'l]
bar	*bass*	[ba'ss]
calmar	*squid*	[skwíd]
colin	*hake*	[Hék]
crabe	*crab*	[kRab]

crevettes	*shrimp*	[chRímp]
darne	*(fish) steak*	[sték]
écrevisses	*crayfish*	[**kRé**'fích]
escargots	*snails / escargots*	[snélz / ès**kâR**gô]
espadon	*swordfish*	[**soRd**fích]
filet	*fillet*	[**fíl'**œt]
hareng	*herring*	[**Hè**Ríñg]
homard	*lobster*	[**lo**'bstœR]
huîtres	*oysters*	[**ôï**stœRz]
langoustine	*scampi*	[**skam**pí]
lotte	*monkfish*	[**moñk**fích]
loup de mer	*striped bass*	[**stRâï**pt ba'ss]
merlan	*whiting*	[**wâï**tíñg]
morue	*cod*	[kod]
oursin	*sea urchin*	[sî' **œR**tchín]
palourdes	*clams*	[klamz]
pétoncles	*scallops*	[**ska**lœpss]
pieuvre	*octopus*	[**o**'ktepœss]
poulpe	*octopus*	[**o**'ktepœss]
raie	*ray*	[Ré']
requin	*shark*	[châRk]
rouget	*mullet*	[**mo**lœt]
sardines	*sardines*	[sâR**dî'**nz]
saumon	*salmon*	[**sâ'**mœn]
saumon fumé	*smoked salmon*	[**smô**kt sâ'mœn]
sole	*sole*	[sô'l]
thon	*tuna*	[**tyou**nâ]

truite	*trout*	[tRaôt]
turbot	*turbot*	[**tœR**bœt]
vivaneau	*snapper*	[**sna**'pœR]

◆ ◆ ◆

anchovy	**anchois**	[**an**tchovî]
bass	**bar**	[ba'ss]
clams	**palourdes**	[klamz]
cod	**morue**	[kod]
crab	**crabe**	[kRab]
eel	**anguille**	[î'l]
escargots	**escargots**	[ès**kâR**gô]
fillet	**filet**	[**fil**'ít]
hake	**colin**	[Hék]
herring	**hareng**	[**Hè**Ríñg]
lobster	**homard**	[**lo**'bstœR]
monkfish	**lotte**	[**moñk**fích]
mullet	**vivaneau**	[**mo**lœt]
octopus	**pieuvre / poulpe**	[**o**'ktepœss]
oyster	**huîtres**	[**ôï**stœRz]
ray	**raie**	[Ré']
salmon	**saumon**	[**sâ**'mœn]
sardines	**sardines**	[sâR**dî**'nz]
scallops	**pétoncles**	[**ska**lœpss]
scampi	**langoustine**	[**skam**pí]
sea urchin	**oursin**	[**sî**' œRtchín]
shark	**requin**	[châRk]

shrimp	**crevettes**	[chRímp]
smoked salmon	**saumon fumé**	[**smô**kt sâ'mœn]
snails	**escargots**	[snélz]
snapper	**rouget**	[**sna**'pœR]
sole	**sole**	[sô'l]
squid	**calmar**	[skwíd]
steak	**darne**	[sték]
striped bass	**loup de mer**	[**stRâï**pt ba'ss]
swordfish	**espadon**	[**soRd**fích]
trout	**truite**	[tRaôt]
tuna	**thon**	[**tyou**nâ]
turbot	**turbot**	[**tœR**bœt]
whiting	**merlan**	[**wâï**tíñg]

Épices, herbes et condiments – *Spices, Herbs and Condiments*

cannelle	*cinnamon*	[**sí**nemœn]
coriandre	*coriander*	[koRî**an**dœR]
curry	*curry*	[**kœ**Rî]
gingembre	*ginger*	[**djín**djœR]
ketchup	*tomato sauce*	[tomâtô **sauss**]
menthe	*mint*	[mínt]
moutarde douce	*sweet / mild mustard*	[**swî**'t / **mâï**ld mostœRd]
moutarde forte	*hot mustard*	[**Hot** mostœRd]
muscade	*nutmeg*	[**not**mèg]
oseille	*sorrel*	[**so**Rœl]

poivre	*(black) pepper*	[(**bla**'k) pèpœR]
poivre rose	*pink pepper*	[**píñk** pèpœR]
romarin	*rosemary*	[**Rô**zmè'Rî]
sauce Tabasco	*Tabasco sauce*	[te**bass**kô so'ss]
sauce soya	*soya sauce*	[**so**'ye sau'ss]
sauge	*sage*	[sédj]
thym	*thyme*	[tâïm]
vinaigre	*vinegar*	[**ví**negœR]

◆ ◆ ◆

cinnamon	**cannelle**	[**sí**nemœn]
coriander	**coriandre**	[koRî**an**dœR]
curry	**curry**	[**kœ**Rî]
ginger	**gingembre**	[**djín**djœR]
hot mustard	**moutarde forte**	[**Hot** mostœRd]
mint	**menthe**	[mínt]
nutmeg	**muscade**	[**not**mèg]
pepper	**poivre**	[(**bla**'k) pèpœR]
pink pepper	**poivre rose**	[**píñk** pèpœR]
rosemary	**romarin**	[**Rô**zmè'Rî]
sage	**sauge**	[sédj]
sorrel	**oseille**	[**so**Rœl]
soya sauce	**sauce soya**	[**so**'ye so'ss]
sweet / mild mustard	**moutarde douce**	[**swî**'t / **mâïld** mostœRd]
Tabasco sauce	**sauce Tabasco**	[te**bass**kô so'ss]
thyme	**thym**	[tâïm]

tomato sauce	**ketchup**	[tomâtô **sauss**]
vinegar	**vinaigre**	[**ví**negœR]

Le goût – *Taste*

amer	*bitter*	[**bí**tœR]
doux	*sweet / mild*	[swî't / mâïld]
épicé	*spicy*	[**spâï**ssî]
fade	*bland*	[bland]
piquant	*hot / spicy*	[Hot / **spâï**ssî]
poivré	*peppery*	[**pè**pœRî]
salé	*salty*	[**sâl**tî]
sucré	*sweet*	[swî't]

bitter	**amer**	[**bí**tœR]
bland	**fade**	[bland]
hot / spicy	**épicé**	[Hot / **spâï**ssî]
peppery	**poivré**	[**pè**pœRî]
salty	**salé**	[**sâl**tî]
spicy	**piquant**	[**spâï**ssî]
sweet	**sucré**	[swî't]
sweet / mild	**doux**	[swî't / mâïld]

Desserts – ***Desserts / Pudding***

caramel	*caramel*	[**ka**Remèl]
chocolat	*chocolate*	[**tcho**'klœt]
crème	*cream / clotted cream*	[kRî'm / **klo**tíd kRî'm]
crème-dessert	*custard*	[**kos**tœRd]
flan	*flan*	[flan]
gâteau	*cake*	[kék]
glace (crème glacée)	*ice cream*	[âïss kRî'm]
meringue	*meringue*	[me**Rañg**]
mousse au chocolat	*chocolate mousse*	[tcho'klœt **mou**'ss]
pâtisserie	*pastry*	[**pé**stRî]
sorbet	*sorbet*	[**sôR**bé]
tarte	*pie*	[pâï]
vanille	*vanilla*	[ve**ní**la]

◆ ◆ ◆

cake	**gâteau**	[kék]
caramel	**caramel**	[**ka**Remœl]
chocolate	**chocolat**	[**tcho**'klœt]
chocolate mousse	**mousse au chocolat**	[tcho'klœt **mou**'ss]
cream / clotted cream	**crème**	[**klo**tíd kRî'm]
custard	**crème-dessert**	[**kos**tœRd]
flan	**flan**	[flan]
ice cream	**glace (crème glacée)**	[âïss kRî'm]
meringue	**meringue**	[me**Rañg**]
pastry	**pâtisserie**	[**pé**stRî]

pie	**tarte**	[pâï]
sorbet	**sorbet**	[**sôR**bé]
vanilla	**vanille**	[ven**í**la]

Fruits – *Fruits*

abricot	*apricot*	[**é**pRíkot]
ananas	*pineapple*	[**pâï**na'pœl]
banane	*banana*	[be**na**'na]
cassis	*blackcurrant*	[bla**ko'R**œnt]
cerise	*cherry*	[**tchè**Rî]
citron	*lemon*	[**lè**mœn]
citrouille (potiron)	*pumpkin*	[**pom**pkín]
clémentine	*clementine*	[**klè**mœntâïn]
coco	*coconut*	[**kô**'kenot]
corrosol	*soursop*	[**saôœR**sop]
fraise	*strawberry*	[**stRau**'beRî]
framboise	*raspberry*	[**râ**'zbeRî]
fruit de la passion	*passionfruit*	[**pa**chœn fRou't]
goyave	*guava*	[**gwa**'vâ]
griotte	*morello*	[mo**Rè**lô]
kiwi	*kiwi*	[kîwî]
lime	*lime*	[lâïm]
mandarine	*mandarin orange*	[**man**deRín **oR**ínj]
mangue	*mango*	[**mañ**gô]
melon	*melon*	[**mè**lœn]
mirabelle	*plum*	[plom]

mûre — *blackberry* — [**bla**'kbeRî]
orange — *orange* — [**o**'Rœndj]
pamplemousse — *grapefruit* — [**gRép**fRou't]
papaye — *papaya* — [pe**pa**'yâ]
pêche — *peach* — [pî'tch]
plantain — *plantain* — [**plan**tén]
poire — *pear* — [pè'R]
pomme — *apple* — [a'pœl]
prune — *plum* — [plom]
raisin — *grape* — [gRép]
rhubarbe — *rhubarb* — [**rou**bâRb]
tangerine — *tangerine* — [tandje**Rîn**]

◆ ◆ ◆

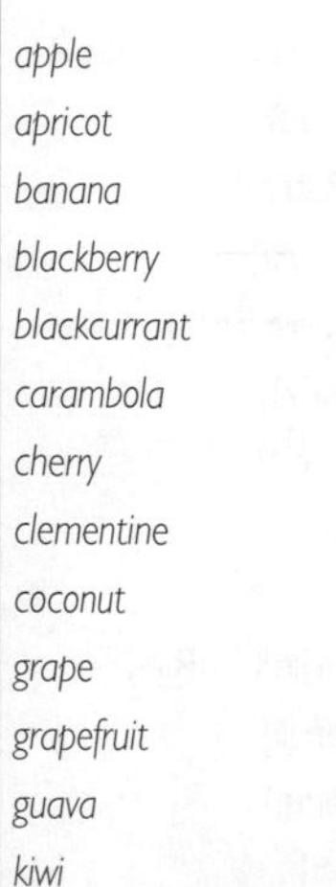

apple — **pomme** — [a'pœl]
apricot — **abricot** — [**é**pRíkot]
banana — **banane** — [be**na**'na]
blackberry — **mûre** — [**bla**'kbeRî]
blackcurrant — **cassis** — [bla**ko'R**œnt]
carambola — **carambole** — [kaR**am**bôlâ]
cherry — **cerise** — [**tchè**Rî]
clementine — **clémentine** — [**klè**mœntâïn]
coconut — **coco** — [**kô**'konot]
grape — **raisin** — [gRép]
grapefruit — **pamplemousse** — [**gRép**fRou't]
guava — **goyave** — [**gwa**'vâ]
kiwi — **kiwi** — [kîwî]

lemon	**citron**	[lèmœn]
lime	**lime**	[lâïm]
mandarin orange	**mandarine**	[mandeRín oRínj]
mango	**mangue**	[mañgô]
melon	**melon**	[mèlœn]
morello	**griotte**	[moRèlô]
orange	**orange**	[o'Rœndj]
papaya	**papaye**	[pepa'yâ]
passionfruit	**fruit de la passion**	[pachœn fRou't]
peach	**pêche**	[pî'tch]
pear	**poire**	[pè'R]
pineapple	**ananas**	[pâïna'pœl]
plantain	**plantain**	[plantén]
plum	**prune / mirabelle**	[plom]
pumpkin	**citrouille (potiron)**	[pompkín]
raspberry	**framboise**	[râ'zbeRî]
rhubarb	**rhubarbe**	[roubâRb]
soursop	**corossol**	[saôœRsop]
star fruit	**carambole**	[stâR fRou't]
strawberry	**fraise**	[stRau'beRî]
tangerine	**tangerine**	[tandjeRîn]

SORTIES – *ENTERTAINMENT*

Divertissements – *Special Events*

ballet	*ballet*	[**bâ**'lé]
baseball	*baseball*	[**béss**bau'l]
billetterie	*ticket counter*	[tíkít **kaôn**tœR]
cinéma	*cinema*	[**sí**nemâ]
concert	*concert*	[**kon**sœRt]
danse folklorique	*folk dance*	[**fô**'k danss]
entracte	*intermission*	[íntœR**mí**chœn]
folklore	*folklore*	[**fô**klô'R]
football	*American football*	[e**mè**Ríkœn **føut**bau'l]
guichet	*ticket office*	[**tí**kít o'físs]
hockey	*ice hockey*	[**îss** Ho'kî]
opéra	*opera*	[**o**'peRâ]
programme	*program*	[**pRô**gRam]
siège	*seat*	[sî't]
siège réservé	*reserved seat*	[Rí**zœ**Rvd sî't]
soccer	*football*	[**føut**bau'l]
spectacle	*show*	[chô']
tauromachie	*bullfight*	[**bøul**fâït]
théâtre	*theatre*	[**tHî**etœR]
toréador	*bullfighter*	[**bøul**fâïtœR]

les places les moins chères
the least expensive seats
[dHe **lî'**st èkpènsív sî'tss]

les meilleures places
the best seats
[dHe **bèst** sî'tss]

Je voudrais... places.
I would like … seats.
[âï wøud lâïk … sî'tss]

Est-ce qu'il reste des places pour...?
Are seats still available for…?
[âR sî'tss stíl **evé**lebœl fôR…?]

Quels jours présente-t-on...?
What days is… showing?
[wât dé'z íz… chô'wíñg?]

Est-ce en version originale?
Is it in the original version?
[íz ít ín dHî o**Rí**djínœl vœRjœn?]

Est-ce sous-titré?
Is it subtitled?
[íz ít sob**tâï**tœld?]

Vie nocturne – *Nightlife*

bar	*bar*	[bâR]
bar gay	*gay bar*	[**gé'** bâR]
bar lesbien	*lesbian bar*	[**lès**bîœn bâR]
barman	*barman*	[**bâR**mœn]
boîte de nuit	*nightclub*	[**nâït** klob]

chanteur	*singer*	[**síñg**œR]
consommation	*drink*	[dRíñk]
danse	*dance*	[danss]
discothèque	*discotheque*	[**dís**kôtèk]
entrée ($)	*cover charge*	[**ko**vœR tchâRdj]
jazz	*jazz*	[dja'z]
le milieu gay	*the gay scene*	[dHe **gé**' sî'n]
musicien	*musician*	[myou**zí**chœn]
musique en direct	*live music*	[lâïv **myou**'zík]
partie	*party*	[**pâR**tî]
piste de danse	*dance floor*	[**dan**ss flô'R]
strip-tease	*strip-tease*	[**stríp** tî'z]
travesti	*transvestite*	[tRanz**vès**tâït]
un verre	*a drink / a glass / a pint (beer)*	[e dRíñk / e gla'ss / e pînt
alcool	*alcohol*	[**al**keHo'l]
apéritif	*aperitif*	[epèRí**tîf**]
bière	*beer*	[bî'œR]
boisson importée	*imported drink*	[ím**pô'R**tœd dRíñk]
boisson nationale	*local drink*	[**lô**kœl dRíñk]
coca	*Coke*	[kô'k]
digestif	*liqueur*	[lík**yœR**]
eau minérale	*mineral water*	[**mí**neRœl wâtœR]
eau minérale gazeuse	*sparkling mineral water*	[**spâR**klíñg míneRœl wâtœR]
eau minérale plate	*flat mineral water*	[**fla**'t míneRœl wâtœR]
jus d'orange	*orange juice*	[**o**'Rœndj djou'ss]
soda	*soda water*	[**sô**dâ wâtœR]

tequila	*tequila*	[tíkî'lâ]
vermouth	*vermouth*	[vœRmœtH]
vin	*wine*	[wâïn]

Rencontres – *Meeting People*

ami(e)	*friend / mate / chum*	[frènd / mêt / tchom]
beau / belle	*beautiful*	[byou'tíføul]
célibataire	*single*	[síñgœl]
charmant(e)	*charming*	[tchâRmíñg]
compliment	*compliment*	[komplímœnt]
conquête	*conquest*	[koñkwèst]
couple	*couple*	[kopœl]
discret	*discreet*	[dískRî't]
divorcé(e)	*divorced*	[dívôRst]
draguer	*to flirt / to chat up*	[tou flœRt / tou tchat op]
enchanté(e)	*pleased to meet you*	[plî'zd tou mî't you]
fatigué(e)	*tired*	[tâïœRd]
femme	*woman*	[wøumœn]
fidèle	*faithful*	[fétHføul]
fille	*girl / daughter*	[gœRl / dau'tœR]
garçon	*boy*	[bôï]
gay	*gay*	[gé']
grand(e)	*tall*	[tau'l]
homme	*man*	[ma'n]
invitation	*invitation*	[ínvítéchœn]
inviter	*to invite*	[tou ínvâït]

ivre	*drunk*	[dRoñk]
jaloux(ouse)	*jealous*	[**djè**'lœss]
jeune	*young*	[yoñg]
joli(e)	*pretty*	[**pR**ítî]
jouer au billard	*play billiards*	[plé' **bíly**œRdz]
laid(e)	*ugly*	[**o**glî]
macho	*macho*	[**ma**'tchô]
marié(e)	*married*	[**ma**'Rî'd]
merveilleux	*brilliant*	[**bRí**lyœn̲t]
mignon(ne)	*cute*	[kyou't]
personnalité	*personality*	[pœRse**na**'lítî]
petit(e)	*small*	[smau'l]
prendre un verre	*to have a drink*	[tou **Hav** e dRíñk]
rendez-vous	*meeting / date*	[**mî**'tíñg / dét]
santé (pour trinquer)	*cheers (to toast)*	[tchî'Rz]
séparé(e)	*separated*	[sèpe**Ré**tœd]
seul(e)	*alone*	[e**lô**'n]
sexe sécuritaire	*safe sex*	[**sé**f sèkss]
sexy	*sexy*	[**sè**kssî]
sympathique	*nice*	[nâïss]
vieux / vieille	*old*	[ô'ld]

Comment allez-vous?
How are you?
[Haô **âR** you?]

Très bien, et vous?
Fine, and you?
[**fâïn̲**, ènd **you**?]

Je vous présente...
I would like to introduce you to…
[âï wøud lâïk tou íntRœdyou'ss you tou…]

Pourriez-vous me présenter à cette demoiselle?
Could you introduce me to this young woman?
[køud you íntRœdyou'ss mî tou dHíss yoñg wøumœn?]

À quelle heure la plupart des gens viennent-ils?
What time do most people get here?
[wât tâïm dou môst pî'pœl gèt Hî'R?]

À quelle heure est le spectacle?
What time is the show?
[wât tâïm íz dHe chô'?]

Bonsoir, je m'appelle...
Hello, my name is…
[Hèlô, mâï ném íz…]

Est-ce que cette musique te plaît?
Do you like this music?
[dou you lâïk dHíss myou'zík?]

Je suis hétéro (straight).
I am straight.
[âï am stRét]

Je suis gay.
I am gay.
[âï am gé']

Je suis lesbienne.
I am a lesbian.
[âï am e lèsbîœn]

Je suis bisexuel(le).
I am bisexual.
[âï am bâï**sèk**chouœl]

Est-ce que c'est ton ami, là-bas?
Is that your friend / mate over there?
[íz dHat yøuR **fRèn**d / mét ôvœR dHèR?]

Lequel,...
Which one,...
[**wítch** wân...]

le blond?	*woman: the blonde?*	[dHe **blond**?]
	man: the blonde one	[dHe **blond** won?]
le roux?	*woman: the redhead?*	[dHe **Rèd**Hèd?]
	man: the red-headed one	[dHe **Rèd**Hèdíd won?]
le châtain?	*woman: the brunette?*	[dHe bRou**nèt**?]
	man: the dark-haired one	[dHe **dauRk**héRd won?]

Est-ce que tu prends un verre?
Would you like a drink?
[wøud you lâïk e **dRíñk**?]

Qu'est-ce que tu prends?
What are you having?
[wât âR you **Ha**víñg?]

De quel pays viens-tu?
What country do you come from?
[wât **con**tRî' dou you kom fRom?]

Es-tu ici en vacances ou pour le travail?
Are you here on holiday or for work?
[âR you Hî'R on **Ho**lídé ôR fôR wœRk?]

Que fais-tu dans la vie?
What do you do?
[wât dou you **dou**?]

Es-tu étudiant?
Are you a student?
[âR you e **styou**'dœnt?]

Qu'étudies-tu?
What are you studying?
[wât âR you **sto**dî'íñg?]

Habites-tu ici depuis longtemps?
Have you been living here long?
[Hav you bîn lívíñg Hî'R **loñg**?]

Ta famille vit-elle également ici?
Does your family live here too?
[doz yøuR **fa**'mílî lív Hî'R tou?]

As-tu des frères et sœurs?
Do you have brothers and sisters?
[dou you Hav bRodHœRz ènd **sís**tœRz?]

Est-ce que tu viens danser?
Do you want to dance?
[dou you wânt tou **dân**ss?]

Cherchons un endroit tranquille pour bavarder.
Let's find a quiet spot to talk.
[lètss fâïnd e **kwâï**œt spot tou tau'k]

Tu es bien mignon(ne).
You are very cute.
[you âR vèRî **kyou**'t]

As-tu un ami (une amie)?
Do you have a boyfriend / girlfriend?
[dou you Hav e **bôïf**Rè**n**d / **gœRl**fRè**n**d]

Quel dommage!
Too bad!
[tou **ba'd**!]

Aimes-tu les garçons (les filles)?
Do you like men / women?
[dou you lâïk **mèn** / **wí**mœn?]

As-tu des enfants?
Do you have children?
[dou you Hav **tchíl**drœn?]

Pouvons-nous nous revoir demain soir?
Could we meet again tomorrow night?
[køud wî mî't egèn tou**mo**Rô nâït?]

Quand pouvons-nous nous revoir?
When can I see you again?
[wèn kan âï **sî'** you egèn?]

J'aimerais t'inviter à dîner demain soir.
I would like to invite you to dinner tomorrow night.
[âï wøud lâïk tou ínvâït you tou **dí**nœR toumoRô nâït]

Viens-tu chez moi?
Would you like to come to my place?
[wøud you lâïk tou kom tou **mâï** pléss?]

Pouvons-nous aller chez toi?
Could we go to your place?
[køud wî gô tou **yøuR** pléss?]

J'ai passé une soirée merveilleuse avec toi.
I had a brilliant evening with you.
[âï Had e **bRí**lyœnt î'veníñg wítH you]

ACHATS – *SHOPPING*

À quelle heure ouvrent les boutiques?
What time do the shops open?
[wât tâïm dou dHe **chops** ôpœn?]

À quelle heure ferment les boutiques?
What time do the shops close?
[wât tâïm dou dHe **chops** klôz?]

Est-ce que les boutiques sont ouvertes aujourd'hui?
Are the shops open today?
[âR dHe **chops** ôpœn toudé'?]

À quelle heure fermez-vous?
What time do you close?
[wât tâïm dou you **klôz**?]

À quelle heure ouvrez-vous demain?
What time do you open tomorrow?
[wât tâïm dou you **ô**pœn toumoRô?]

Avez-vous d'autres succursales?
Do you have other branches?
[dou you Hav odHœR **branchíz**?]

Quel est le prix?
What is the price?
[wât íz dHe **prâïss**?]

Combien cela coûte-t-il?
How much does this cost?
[Haô motch doz dHíss **ko**'st?]

En avez-vous des moins chers?
Do you have any less expensive ones?
[dou you Hav èní lèss èk**pèn**sív wânz?]

Pouvez-vous me faire un meilleur prix?
Could you give me a discount?
[køud you gív mî e dís**kaônt**?]

Est-ce que vous acceptez les cartes de crédit?
Do you take credit cards?
[dou you ték **kRè**dít kâRdz?]

Où se trouve le supermarché le plus près d'ici?
Where is the closest supermarket?
[wèR íz dHe klôssœst **sou**'pœRmâRkœt?]

centre commercial	*shopping mall*	[**cho**'píñg mâ'l]
marché	*market*	[**mâR**kœt]
boutique	*shop / boutique*	[chop / bou**tî**'k]
cadeau	*gift / present*	[gíft / **pRè**zœnt]
carte postale	*postcard*	[**pôst**kâRd]
timbres	*stamps*	[stampss]
vêtements	*clothing*	[**klô**dHíñg]

Spécialités – *Specialties*

Je cherche une boutique de...
I am looking for a... shop.
[âï am **løu**kíñg fôR e... chop]

agent de voyages	*travel agent*	[**tRa**'vœl édjœnt]

Je voudrais modifier ma date de retour.
I would like to change my return date.
[âï wøud lâïk tou tchéndj mâï Rít**œR**n dét]

Je voudrais acheter un billet pour...
I would like to buy a ticket for...
[âï wøud lâïk tou bâï e tíkœt fôR...]

aliments naturels	*health foods*	[**Hè**ltH fou'dz]
appareils électroniques	*electronic equipment*	[ílèk**tRo**'ník íkwípmœnt]

Je voudrais une nouvelle pile pour...
I would like a new battery for...
[âï wøud lâïk e nyou **ba**'teRí fôR...]

artisanat	*handicrafts*	[**Han**díkRaftss]
boucherie	*butcher*	[**bøut**chœR]
buanderie (libre-service)	*laundrette*	[lo'n**dRèt**]
chaussures	*shoes*	[chou'z]
coiffeur	*hairdresser / barber*	[**Hè'R**dRèssœR /**bâR**bœR]
disquaire	*music shop*	[**myou**'zík chop]

Avez-vous un disque de...?
Do you have a CD by...?
[dou you Hav a sî**dî** bâï...?]

Quel est le plus récent disque de...?
What is the latest CD by...?
[wât íz dHe **lé**tœst sî**dî** bâï...?]

Est-ce que vous pouvez me le faire entendre?
Could you play it for me?
[køud you **plé**' ít fôR mî?]

Pouvez-vous me dire qui chante...?
Could you tell me who sings...?
[køud you tèl mî Hou **síñg**z...?]

Avez-vous un autre disque de...?
Do you have another CD by...?
[dou you Havo**no**dHœR sî**dî** bâï...?]

équipement photographique	*photography equipment*	[fœ**to**'gRefî íkwípmœn̲t]
équipement informatique	*computer equipment*	[kom̲**pyou**tœR íkwípmœn̲t]

Faites-vous les réparations?
Do you do repairs?
[dou you dou Ríp**é**Rz?]

Comment / Où puis-je me brancher à Internet?
How / Where can I log on to the Internet?
[Haô / wèR kan̲ âï **lo**'g on̲ tou dHî **ín̲**tœRnèt?]

équipement sportif	*sports equipment*	[**spô**'Rtss íkwípmœ_n_t]
fruits et légumes	*greengrocer*	[**grî'_n_**gRôsœR]
jouets	*toys*	[tôïz]
librairie	*bookshop*	[**bøuk**chop]
atlas routier	*road atlas*	[**Rô**'d a'tlœss]
beau livre	*coffee-table book*	[ko'fî **té**bœl bøuk]
carte	*map*	[map]
carte plus précise	*more detailed map*	[môR **dî**téld map]
carte topographique	*OS map*	[ôèss map]
dictionnaire	*dictionary*	[**dík**chœ_n_èRî]
guide	*guide*	[gâïd]
journaux	*newpapers*	[**nyou**zpépœRz]
littérature	*literature*	[**lí**teRítchœR]
livre	*book*	[bøuk]
magazines	*magazines*	[**ma**'gezî'_n_z]
poésie	*poetry*	[**pô**'etRí]
répertoire des rues	*street atlas*	[**stRî**'t a'tlœss]

Avez-vous des livres en français?
Do you have books in French?
[dou you Hav bøukss ín **fRè_n_**tch?]

marchand de journaux	*newsagent*	[**nyou'z**êdjœnt]
marché d'alimentation	*supermarket*	[**sou**'pœRmâRkít]
marché d'artisanat	*handicraft market*	[**Ha_n_**dîkRaft mâRkít]
marché public	*public market*	[**po**blík mâRkít]
nettoyeur à sec	*dry cleaner*	[dRâï **klî**'nœR]

Pouvez-vous laver et repasser cette chemise pour demain?
Could you wash and iron this shirt for tomorrow?
[køud you wâch and âïœRn dHíss **chœR**t fôR toumoRô?]

oculiste	*optician*	[op**tích**œn̲]

J'ai brisé mes lunettes.
I have broken my glasses.
[âï Hav bRôkœn̲ mâï **gla**'ssœz]

Je voudrais remplacer mes lunettes.
I would like to replace my glasses.
[âï wøud lâïk tou rîpléss mâï **gla**'ssœz]

J'ai perdu mes lunettes.
I have lost my glasses.
[âï Hav lo'st mâï **gla**'ssœz]

J'ai perdu mes lentilles cornéennes.
I have lost my contact lenses.
[âï Hav lo'st mâï **kon̲**takt lèn̲zœz]

Voici mon ordonnance.
Here is my prescription.
[Hî'R íz mâï pRí**skRíp**chœn̲]

Je dois passer un nouvel examen de la vue.
I should have a new eye test.
[âï chøud Hav e nyou **âï** tèst]

pharmacie	*chemist*	[**kè**míst]
poissonnerie	*fishmonger*	[**fích**moñgœR]
produits de beauté	*beauty products*	[**byou**'tî pRo'dokss]
quincaillerie	*hardware / ironmonger*	[**HâR**dwèR / âœRnmoñgœR]
supermarché	*supermarket*	[**sou**'pœRmâRkœt]
vins et liqueurs	*wines and spirits*	[wâïn̲z èn **spí**Rítss]

Vêtements – *Clothing*

vêtements d'enfant	*children's wear*	[**tchíl**drœnz wéR]
vêtements de dame	*women's wear*	[**wí**mœnz wéR]
vêtements d'homme	*menswear*	[**mè**nz wéR]
vêtements sport	*sportswear*	[**spô**'RtswèR]
bas (chaussettes)	*socks*	[so'kss]
bottes	*boots*	[bou'tss]
bottes de caoutchouc	*Wellingtons / wellies*	[**wè**líñgtonz / **wè**líz]
caleçon boxeur	*boxer shorts*	[**bo**'ksœR chôRtss]
cardigan	*cardigan / cardy*	[**kâR**dígan / **kâR**dí]
casquette	*cap*	[kap]
ceinture	*belt*	[bèlt]
chapeau	*hat*	[Hat]
chemise	*men / women: shirt* *women: blouse*	[chœRt] [blaôz]
complet	*suit*	[sou't]
coupe-vent	*windbreaker*	[**wín**bRékœR]
cravate	*tie*	[tâï]
culotte	*knickers / panties*	[**ní**kœRz / **pan**tîz]
foulard	*scarf*	[skâRf]
imperméable	*raincoat / mac*	[**Rén**kô't / mak]
jean	*jeans*	[djî'nz]
jupe	*skirt*	[skœRt]
maillot de bain	*bathing suit / swimming costume*	[**bé**tHíñg sou't / **swí**míñg kostyou'm]
maillot de corps	*vest*	[vèst]
manteau	*coat*	[kô't]

Commodités

pantalon	*slacks / trousers*	[slakss / **tRaô**zœ'Rz]
peignoir	*dressing gown*	[**dRè**sĩñg gaôn]
pull	*pullover / jumper / sweater*	[**pøul**ôvœR / jompœR / swètœR]
short	*shorts*	[chôRtss]
souliers	*shoes*	[chou'z]
sous-vêtement	*underpants*	[**o<u>n</u>**dœRpa<u>n</u>tss]
soutien-gorge	*bra*	[bRâ]
robe	*dress*	[dRèss]
tailleur	*women's suit jacket*	[wímœ<u>n</u>z **sou**'t djakít]
t-shirt	*T-shirt*	[**tî**'chœRt]
veste	*suit jacket*	[mè<u>n</u>z **sou**'t djakít]
veston	*waistcoat*	[**dja**kít]

Est-ce que je peux l'essayer?
May I try it on?
[Mé âï **trâï** ít o<u>n</u>?]

En avez-vous des plus...?
Do you have any... ones?
[dou you Hav èní... wâ<u>n</u>z?]

amples	*roomier*	[**Rou**'mîœR]
clairs	*lighter*	[**lâï**tœR]
économiques	*less expensive*	[lès èks**pèn**sív]
élégants	*dressier*	[dRèsîœR]
foncés	*darker*	[**dâr**kœR]
grands	*bigger*	[**bíg**œR]
larges	*wider*	[**wâï**dœR]

légers — *lighter* — [**lâï**tœR]

petits — *smaller* — [**smâ**lœR]

serrés — *tighter* — [**tâï**tœR]

simples — *simpler* — [**sím**plœR]

souples — *softer* — [**sof**tœR]

Est-ce que c'est 100% coton?
Is it one hundred percent (100%) cotton?
[íz ít **wân** Hondrœd pœRsènt **ko**tœn?]

De quel tissu est-ce fait?
What material is it made of?
[wât mâ**tîR**îœl íz ít méd ov?]

Tissus – *Materials*

acrylique — *acrylic* — [e**kRí**lík]

coton — *cotton* — [**ko**tœn]

laine — *wool* — [wøul]

lin — *linen* — [**lí**nœn]

polyester — *polyester* — [polî**ès**tœR]

rayonne — *rayon* — [**Ré**œn]

soie — *silk* — [sílk]

Est-ce que je peux essayer une taille plus grande?
May I try on a larger size?
[Mé âï tRâï on e **lâR**djœR sâïz?]

Est-ce que je peux essayer une taille plus petite?
May I try on a smaller size?
[Mé âï trâï on e **smâ**lœR sâïz?]

Est-ce que vous faites les rebords? la retouche?
Do you sew hems? Do you do alterations?
[dou you sô' **Hè**mz? dou you dou âltœ**Ré**chœnz?]

Est-ce qu'il faut payer pour la retouche?
Do I have to pay for alterations?
[dou âï Hav tou pé' fôR âltœ**Ré**chœnz?]

Quand est-ce que ce sera prêt?
When will it be ready?
[wèn wíl ít bî **Rè**dî?]

VIE PROFESSIONNELLE – *PROFESSIONAL LIFE*

Les professions – *Professions*

administrateur(trice)	*administator*	[ad**mí**nístrétœR]
agent de voyages	*travel agent*	[**tRa**'vœl édjœnt]
agent(e) de bord	*airline steward / ess*	[éRlâïn **stou'**œRd / èss]
architecte	*architect*	[**âR**kítèkt]
artiste	*artist*	[**âR**tíst]
athlète	*athlete*	[**a'**tHlî't]
avocat(e)	*barrister*	[**ba**RístœR]
banquier	*banker*	[**bañ**kœR]
biologiste	*biologist*	[bâï**o**'ledjíst]
chômeur	*unemployed*	[onèm**plôï**d]
coiffeur(euse)	*hairdresser*	[**Hè'R**dRèssœR]
comptable	*accountant*	[e**kaôn**tœnt]
cuisinier(ère)	*chef*	[chèf]
dentiste	*dentist*	[**dèn**tíst]
designer	*designer*	[dí**zâï**nœR]
diététicien(ne)	*dietician*	[dâïe**tí**chœn]
directeur(trice)	*director*	[dí**Rèk**tœR]
écrivain	*writer*	[**Râï**tœR]
éditeur	*editor / publisher*	[**è**dítœR / **po**blíchœR]

étudiant(e)	*student*	[**styou**'dœnt]
fonctionnaire	*civil servant*	[**sí**vœl sœRvœnt]
graphiste	*graphic artist*	[**gRa**'fík âRtíst]
guide accompagnateur(trice)	*tour guide*	[TouR gâïd]
infirmier(ère)	*nurse*	[nœRss]
informaticien(ne)	*computer expert*	[kom**pyou**tœR èkspœRt]
ingénieur(e)	*engineer*	[èndjí**nî**'R]
journaliste	*journalist*	[**djœR**nelíst]
libraire	*bookseller*	[**bøuk**sèlœR]
mécanicien(ne)	*mechanic*	[mí**ka**'ník]
médecin	*doctor*	[**do**'ktœR]
militaire	*member of the armed forces*	[mèmbœR ov dHî âRmd **fôR**síz]
musicien(ne)	*musician*	[myou**zí**chœn]
ouvrier(ère)	*worker*	[**wœR**kœR]
photographe	*photographer*	[fo**tâ**'gRefœR]
pilote	*pilot*	[**pâï**lœt]
professeur(e)	*professor / teacher*	[pRœ**fè**ssœR / **tî**tchœR]
psychologue	*psychologist*	[sâï**ko**'ledjíst]
retraité(e)	*retired*	[Rî**tâï**œRd]
secrétaire	*secretary*	[**sè**kRetèRí]
serveur(euse)	*waiter*	[**wé**tœR]
technicien(ne)	*technician*	[**tèk**níchœn]
urbaniste	*town planner*	[taôn **pla**'nœR]
vendeur(euse)	*salesperson*	[**sél**zpœRsœn]

Dans le domaine ... – *In the Field of...*

de l'édition	*publishing*	[**po**blíchíñg]
de la construction	*construction*	[ko<u>n</u>**stRok**chœ<u>n</u>]
du design	*design*	[dí**zâï**<u>n</u>]
de la restauration	*food service*	[**fou**'d sœRvíss]
du voyage	*travel*	[**tRa**'vœl]
de la santé	*health*	[HèltH]
du sport	*sport*	[spô'Rt]
de l'éducation	*education*	[èdou**ké**chœ<u>n</u>]
manufacturier	*manufacturing*	[manyou**fa**'ktchœRíñg]
public	*public sector*	[**po**blík sèktœR]
des télécommunications	*telecommunications*	[**tè**líkomyou-ní**ké**chœ<u>n</u>z]
de l'électricité	*electricity*	[ílèk**tRí**ssítî]
du spectacle	*show business*	[**chô**' bízníss]
des médias	*media*	[**mî**'dyâ]
de la musique	*music*	[**myou**'zík]
des investissements	*investments*	[ín**vèst**mœntz]

J'étudie en... – *I am Studying...*

administration	*administration*	[ad**mí**nístréchœn]
architecture	*architecture*	[**âR**kítèktchœR]
art	*art*	[âRt]
biologie	*biology*	[bâï**o**'ledjí]
comptabilité	*accounting*	[e**kaônt**íñg]
diététique	*nutrition*	[nyou'**tRí**chœn]
droit	*law*	[lau']
économie	*economics*	[èko**no**'míkss]
environnement	*environmental studies*	[ín**vâï**œRmèntœl stodî'z]
géographie	*geography*	[djî**o**'gRefî]
graphisme	*graphic arts*	[**gRa**'fík âRtss]
histoire	*history*	[**Hís**tœRî]
informatique	*computer science*	[kompyoutœR **sâï**œnss]
ingénierie	*engineering*	[èndjí**nî**'Ríñg]
journalisme	*journalism*	[**djœR**nelízœm]
langues	*languages*	[**lañg**wœdjœz]
littérature	*literature*	[**lí**teRítchœR]
médecine	*medecine*	[**mè**dísín]
nursing	*nursing*	[**nœR**síñg]
psychologie	*psychology*	[sâï**ko**'ledjî]
sciences politiques	*political science*	[po**lí**tíkœl sâïœnss]
tourisme	*tourism*	[**tøu**Rízœm]
urbanisme	*town planning*	[taôn **pla**'níñg]

Je vous présente...
I would like to introduce you to…
[âï wøud lâïk tou íntRœ**dyou**'ss you tou…]

Enchanté!
Pleased to meet you!
[plî'zd tou **mî**'t you]

J'aimerais avoir un rendez-vous avec... le directeur
I would like to meet with… the director
[âï wøud lâïk tou **mî**'t wítH…dHe dí**Rèk**tœR]

...la personne responsable
…the person in charge
[…dHe **pœR**sœn ín tchâRdj]

Puis-je avoir le nom de la personne responsable...?
Could I have the name of the person in charge…?
[køud âï Hav dHe ném ov dHe **pœR**sœn ín tchâRdj…?]

du marketing	*of marketing*	[ov **mâR**ketíñg]
de la comptabilité	*of accounting*	[ov e**kaôn**tíñg]
des importations	*of imports*	[ov ím**pôR**tss]
des exportations	*of exports*	[ov èks**pôR**tss]
des ventes	*of sales*	[ov **sél**z]
des achats	*of purchasing*	[ov **pœR**chœssíñg]
du personnel	*of human resources*	[ov **Hyou**mœn Rízo'Rsœz]

C'est urgent.
It is urgent.
[ít íz **œR**djœnt]

Je suis..., de la société...
I am..., from the... company
[âï am..., fRom dHe... kompení]

Elle n'est pas ici en ce moment.
She is not here at the moment.
[chî íz not Hî'R at dHe **mô**mœnt]

Elle est sortie.
She has gone out.
[chî Haz **gon** aôt]

Quand sera-t-elle de retour?
When will she be back?
[wèn wíl chî bî **ba**'k?]

Pouvez-vous lui demander de me rappeler?
Could you ask her / him to call me?
[køud you a'sk HœR / Hím tou **kau**'l mî]

Je suis de passage à México pour trois jours.
I am stopping over in Mexico City for three days.
[âï am stâpíñg ôvœR ín mèksíkô sítî fôR **tHRî** dé'z]

Je suis à l'hôtel... Vous pouvez me joindre au..., chambre...
I am at the hotel... You can reach me at..., room...
[âï am at dHe **Hô**tèl... you kan **Rî**'tch mî at..., **Rou**'m...]

J'aimerais vous rencontrer brièvement...
I would like to meet with you briefly...
[âï wøud lâïk tou mî't wítH you **bRî**'flí]

...pour vous présenter notre nouveau produit
...to show you our new product
[tou chô' you âœR nyou **pRo**'dokt]

...pour discuter d'un projet
...to discuss a project
[tou dískoss e **pRo**'djèkt]

Nous cherchons un distributeur pour...
We are looking for a distributor for...
[wî âR løukíñg fôR e dístRí**byou**tœR fôR...]

Nous aimerions importer votre produit, le...
We would like to import your product, the...
[wî wøud läik tou ímpôRt yøuR **pRo**'dokt, dlle...]

FAMILLE – *FAMILY*

frère	*brother*	[**bRo**dHœR]
sœur	*sister*	[**sís**tœR]
mes frères et sœurs	*my brothers and sisters*	[mäi bRodHœRz ènd **sís**tœRz]
mère	*mother*	[**mo**dHœR]
père	*father*	[**fâ**'dHœR]
fils	*son*	[son]
fille	*daughter*	[**dau**'tœR]
grand-mère	*grandmother*	[g**Rand**modHœR]
grand-père	*grandfather*	[g**Rand**fâ'dHœR]
neveu	*nephew*	[**nè**fyou]
nièce	*niece*	[**nî**'ss]
cousin(e)	*cousin*	[**ko**zœn]
beau-frère	*brother-in-law*	[**bRo**dHœR ín lau']
belle-sœur	*sister-in-law*	[**sís**tœR ín lau']

SENSATIONS ET ÉMOTIONS – *SENSATIONS AND EMOTIONS*

J'ai faim.
I am hungry.
[âï am **HoñgR**í]

Nous avons faim.
We are hungry.
[wî âR **HoñgR**í]

Il a faim.
He is hungry.
[Hî íz **HoñgR**í]

Elle a faim.
She is hungry.
[chî íz **HoñgR**í]

J'ai soif.
I am thirsty.
[âï am **tHœR**stí]

Je suis fatigué(e).
I am tired.
[âï am **tâï**œRd]

J'ai froid.
I am cold.
[âï am **kô**'ld]

J'ai chaud.
I am hot.
[âï am **Ho**t]

Je suis malade.
I am ill.
[âï am **íl**]

Je suis content(e) / heureux(euse).
I am happy.
[âï am **Ha**'pî]

Je suis satisfait(e).
I am satisfied.
[âï am **sa**tisfâïd]

Je suis désolé(e).
I am sorry.
[âï am **so**'Rí]

Je suis déçu(e).
I am disappointed.
[âï am dísse**pôïn**tœd]

Je m'ennuie.
I am bored.
[âï am **bô**'Rd]

J'en ai assez.
I am fed up.
[âï am fèd **op**]

Je suis impatient(e) de...
I cannot wait to...
[âï ka**not** wét tou...]

Je m'impatiente.
I am getting impatient.
[âï am gètiñg ímpéchœnt]

Je suis curieux / curieuse de...
I am curious about...
[âï am **kyou**Rîœss ebaôt...]

Je suis égaré(e).
I am lost.
[âï am **lo**'st]

FÊTES ET FESTIVALS – *HOLIDAYS AND FESTIVALS*

jour férié	*bank holiday*	[bañk **hol**ídé]
le jour de Noël	*Christmas Day*	[**kRí**smœss dé']
le jour de l'An	*New Year's Day*	[**nyou** yî'Rz dé']
le jour des Rois	*Epiphany*	[í**pí**fenî]

le Mardi gras
Mardi Gras / Shrove Tuesday / Pancake Day
[**mâR**dî gRâ / chRôv **tyouz**dé' / **pan**kék dé]

le mercredi des Cendres	*Ash Wednesday*	[**a'ch** wènzdé']
le dimanche des Rameaux	*Palm Sunday*	[paum **Son**dé]
le Vendredi saint	*Good Friday*	[**gød** fRâïdé']
la Semaine sainte	*Holy Week*	[**Hô**lí wî'k]
le jour de Pâques	*Easter Sunday / Easter Monday*	[î'stœR sondé' / îstœR mondé']

la fête des Travailleurs	*May Day*	[**mé**' dé']
la fête des Mères	*Mothering Sunday (4th Sunday in Lent)*	[**mod**HœRíñg sondé']
la fête des Pères	*Father's Day*	[**fâ**'dHœRz dé']
la fête du Travail	*Labour Day*	[**lé**'bœR dé']
lle jour du Souvenir	*Remembrance Day*	[Rí**mèm**bRœnss dé']
le lendemain de Noël	*Boxing Day*	[**bo**'ksíñg dé']
la Saint-Patrick	*St. Patrick's Day*	[sént **pa**'tRík dé']

le premier lundi de mai
First Monday in May
[fœRst **mon**dé' ín mé']

le dernier lundi de mai
Last Monday in May / Whitsun
[last **mon**dé' ín mé' / wítson]

le dernier lundi d'août	*Last Monday in August*	[last mondé' ín **au**gœst]

INDEX DES MOTS ANGLAIS

INDEX DES MOTS FRANÇAIS

NOTES

NOTES

NOTES